#하루에_조금씩
#쑥쑥_크는
#어휘력 #사고력

똑똑한
하루 어휘

Chunjae
Makes
Chunjae

▼

[똑똑한 하루 어휘 맞춤법+받아쓰기] 2단계 B

편집개발   김한나, 원명희
디자인총괄   김희정
표지디자인   윤순미, 안채리
내지디자인   박희춘, 이혜미
일러스트   김제도, 김수정, 김민주
제작   황성진, 조규영

발행일   2021년 12월 15일 초판   2023년 1월 15일 2쇄
발행인   (주)천재교육
주소   서울시 금천구 가산로9길 54
신고번호   제2001-000018호
고객센터   1577-0902

똑 똑 한

하루
어휘

맞춤법+받아쓰기

NEW!

2
단계

B
1~2학년

100여 개의 어휘로 배우는 맞춤법+받아쓰기!

하루하루 공부할 차례

각 주별로 배우는 **맞춤법과 받아쓰기** 원리를 어휘 중심으로 정리했어요.
소리와 모양이 다른 말 쓰기부터 친구들이 가장 어려워하는 받침이 두 개인 말 쓰기까지
100여 개의 어휘로 공부해요!

맞춤법+받아쓰기,
이렇게 구성되어 있어요

맞춤법 원리를 정확하게 배우고 그림과 놀이를 통해 문장 안에서 낱말을 바르게 쓰는 활동을 해요. 한 주 동안 익힌 내용을 평가 문제와 받아쓰기로 확인하면 맞춤법과 받아쓰기를 똑똑하게 할 수 있어요! 또, 마무리 특강의 재미있는 문제들로 **사고력과 논리력도 쑥쑥!**

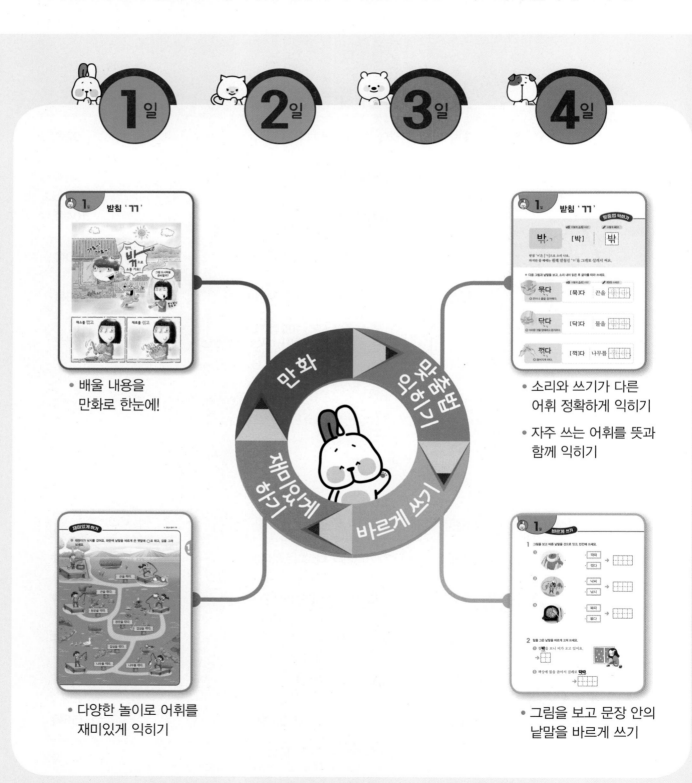

- 배울 내용을 만화로 한눈에!

- 소리와 쓰기가 다른 어휘 정확하게 익히기
- 자주 쓰는 어휘를 뜻과 함께 익히기

- 다양한 놀이로 어휘를 재미있게 익히기

- 그림을 보고 문장 안의 낱말을 바르게 쓰기

맞춤법+받아쓰기,
시작해 볼까요?

똑똑한 하루 어휘 <맞춤법+받아쓰기>는 하루에 여섯 쪽씩 공부하며 실력을 다질 수 있어요.

지금부터 **똑똑한 하루 어휘 <맞춤법+받아쓰기>**로 공부를 시작해 보세요!

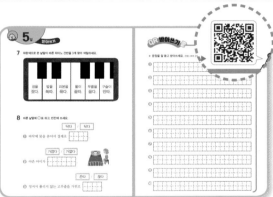

QR코드로 받아쓰기를 들을 수 있어요!
맞춤법과 받아쓰기를 똑똑하게 할 수 있어요!

받아쓰기 를 자신 있게!

- 받아쓰기를 하며 실력 마무리
- 띄어쓰기까지 함께 공부

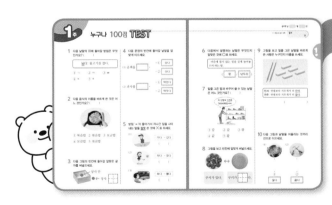

누구나 100점 TEST

- 다양한 문제를 풀면서 한 주에 배운 어휘 확인
- 배운 내용을 정리하면서 맞춤법 실력 확인

특강

- 배운 내용을 정리하며 사고력, 논리력 증진

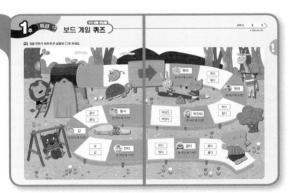

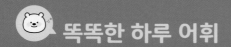

맞춤법, 받아쓰기  틀릴까요?
어떻게 해야 할까요?

낱말을 소리 나는
대로 쓰면 틀려요.

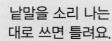

소리와 쓰기가 다른 낱말은
원리를 이해해야 해요.

받침 ㄱ + ㅇ	🔊 이렇게 소리 나요!	✏️ 이렇게 써요!
악어	[아거]	악어

'악어'를 읽으면 '악'의 ㄱ 받침이 '어'와 만나 [아거]로 소리 나요. 하지만 쓸
에는 받침 'ㄱ'을 그대로 살려서 써요.

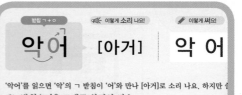

뜻이 다르지만 소리가 같은
낱말을 자주 틀려요.

낱말을 외우지 않고 문장과
함께 이해해야 해요.

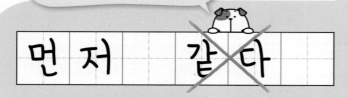

친구가 먼저 갔다.

나와 친구의 나이가 같다.

띄어 쓰는 곳을 잘 몰라서
엉뚱하게 띄어 쓰거나
다 붙여서 써요.

어디에서 끊어 읽는지
주의하며 문장을 들어요.

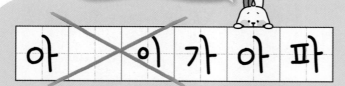

QR 받아쓰기
QR찍고 내용듣기 ▶

◆ 문장을 잘 듣고 받아쓰세요. (정답 4쪽의 문장을 불러 주시거나 QR을 찍어 들려주세요.)

❶ 아이가 ∨ 아파요.

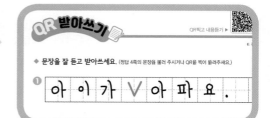

등장인물

하윤

동생을 놀려서 가끔씩 울려요.
그렇지만 사실은 동생을 많이 사랑해요.

서준

하윤이의 동생이에요. 누나가 놀려서
화가 날 때도 있지만 누나랑 노는 것이
가장 즐겁답니다.

마음이

하윤이 집의 반려동물이에요.
말을 못해서 그렇지 사람처럼
속이 깊답니다.

부모님

하윤이와 서준이를 사랑해요.
엄마는 가끔 이상한 요리로
가족들을 놀라게 하지요.

친구들

하윤이와 서준이의 친구들이에요.
함께 공부도 하고 놀기도 하면서
우정을 차곡차곡 쌓아 간답니다.

하윤이네 가족과 친구들

하윤이는 가족, 친구들과 함께 보내며 소중한 추억을 만들어 갑니다.

1주에는 무엇을 공부할까? ①

받침이 두 개인 낱말을 써요 1

★ 선을 따라가 낱말에 쓰인 받침을 쓰세요.

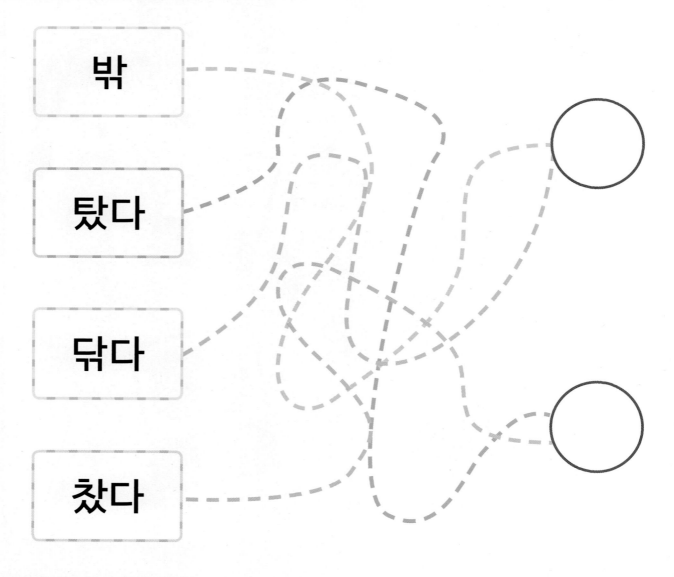

밖

탔다

닭다

찼다

✪ 그림과 낱말을 보고 다음 받침이 들어간 낱말은 몇 개인지 쓰세요.

가엾다   끓다   값

귀찮다   끊다   꿇다

| 받침 ㅄ | 이 들어간 낱말 (   ) 개 |

| 받침 ㄶ | 이 들어간 낱말 (   ) 개 |

밥을 **볶고**　　　도시락에 **담아서**　　　예쁘게 **묶으면** 완성!

받침 ' ㄲ '

📢 이렇게 **소리** 나요!　　　　✏️ 이렇게 **써요!**

박ㄱ　　　　[박]　　　　박

받침 'ㄲ'은 [ㄱ]으로 소리 나요.
하지만 쓸 때에는 원래 받침인 'ㄲ'을 그대로 살려서 써요.

◆ 다음 그림과 낱말을 보고, 소리 내어 읽은 후 글자를 따라 쓰세요.

묶다
뜻 끈이나 줄을 잡아매다.

📢 이렇게 **소리** 나요!　　　✏️ **따라** 쓰세요!

[묵]다　　　끈을　묶 다 .

닦다
뜻 더러운 것을 없애려고 문지르다.

[닥]다　　　물을　닦 다 .

꺾다
뜻 끊어지게 하다.

[꺽]다　　　나무를　꺾 다 .

깎다

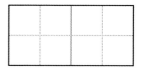

뜻 물건의 겉을 벗겨 내다.
예 연필을 깎다.

소리

[깍]다

낚다

뜻 물고기를 잡다.
예 붕어를 낚다.

소리

[낙]다

겪다

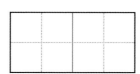

뜻 어떤 일을 해 보다.
예 힘든 일을 겪다.

소리

[격]다

섞다

섞어~ 섞어~

뜻 한데 합치다.
예 물에 소금을 섞다.

소리

[석]다

볶다

뜻 음식을 저으면서 익히다.
예 멸치를 볶다.

소리

[복]다

1주

1 그림을 보고 바른 낱말을 선으로 잇고, 빈칸에 쓰세요.

❶

・ 깍따

・ 깎다

→

❷

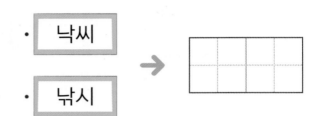

・ 낙씨

・ 낚시

→

❸

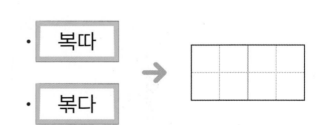

・ 복따

・ 볶다

→

2 밑줄 그은 낱말을 바르게 고쳐 쓰세요.

❶ 창**밖**을 보니 비가 오고 있어요.

→

❷ 책상에 물을 쏟아서 걸레로 **닥따**.

→

◉ 태현이가 낚시를 갔어요. 파란색 낱말을 바르게 쓴 팻말에 ◯표 하고, 길을 그려
보세요.

태현

끈을 묵따.

끈을 묶다.

창문을 닥따.

창문을 닦다.

껍질을 깍다.

껍질을 깎다.

나무를 꺽따.

나무를 꺾다.

2일

받침 'ㅆ'

솜사탕도 **먹었고**~

장난감도 **샀고**~

자전거도 **탔고**~

| ○월 | ○일 | ○요일 | 바람이살랑살랑춤을추... |

오	늘	은		최	고	의		하
루	였	다	.	솜	사	탕	도	먹
고		공	룡	도		샀	다	.	자
전	거	도		탔	다	.	매	일
오	늘	같	으	면		좋	겠	다	.

깼어? 일기 쓰고 자야지.

어? 방금 일기를 썼는데, 꿈이었구나.

받침 'ㅆ'

🔊 받침 'ㅆ'이 **합**해졌어요! ✏️ 이렇게 **써**요!

갔다 ◀ **가다** +ㅆ | **갔 다**

낱말에 받침 'ㅆ'이 들어가면 지나간 일을 나타내는 말이 돼요.
'ㅆ'을 받침으로 쓸 때 'ㅅ'으로 쓰지 않도록 해요.

◆ 다음 그림과 낱말을 보고, 소리 내어 읽은 후 글자를 따라 쓰세요.

🔊 받침 'ㅆ'이 **합**해졌어요! ✏️ **따라** 쓰세요!

찼다
뜻 발로 내어 질렀다.

◀ **차다** +ㅆ

공을 | 찼 다 .

탔다
뜻 탈것에 몸을 얹었다.

◀ **타다** +ㅆ

자전거를 | 탔 다 .

잤다
뜻 눈을 감고 쉬었다.

◀ **자다** +ㅆ

잠을 | 잤 다 .

샀다

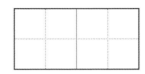

뜻 값을 주고 자기 것으로 만들었다.
예 공책을 **샀다**.

사다
+ ㅆ

깼다

뜻 잠, 꿈 따위에서 벗어났다.
예 잠에서 **깼다**.

깨다
+ ㅆ

단단한 물체를 쳐서
조각나게 한 것도 '깼다'라고 해.

⁺더 익히기

낱말에 '았'이나 '었'이 들어가도 지나간 일을 나타내는
말이 돼요. '았'과 '었'의 위치에 주의해서 써요.

📢 이 말이 **합**해졌어요! ✏️ 이렇게 **써**요!

보았다

뜻 눈으로 알았다.

보다
+았+

책을 | 보 | 았 | 다 | .

📢 이 말이 **합**해졌어요! ✏️ 이렇게 **써**요!

먹었다

뜻 입을 통해 배 속에
들여보냈다.

먹다
+었+

밥을 | 먹 | 었 | 다 | .

1 그림을 보고 바른 낱말에 〇표 하고, 빈칸에 쓰세요.

①
먹엇다 / 먹었다

사과를 ⬚⬚⬚⬚⬚.

②
잣다 / 잤다

밤에 일찍 ⬚⬚⬚.

③
탓다 / 탔다

가족과 함께 자전거를 ⬚⬚⬚.

2 밑줄 그은 낱말을 바르게 고쳐 쓰세요.

① 동물원에 가서 코끼리를 **보앗다**.

→ ⬚⬚⬚⬚⬚

② 무서운 꿈을 꾸고 잠에서 **깻다**.

→ ⬚⬚⬚

◉ 받침 'ㅆ'이 들어가는 낱말에 주의하며 다음 빈칸에 들어갈 말을 퍼즐에서 찾아
  ○표 하세요.

1 놀이터에서 그네를 ○○.

2 노란 꽃이 예쁘게 ○○○.

3 엄마와 시장에 가서 생선을 ○○.

4 운동장에서 짝과 함께 축구공을 ○○.

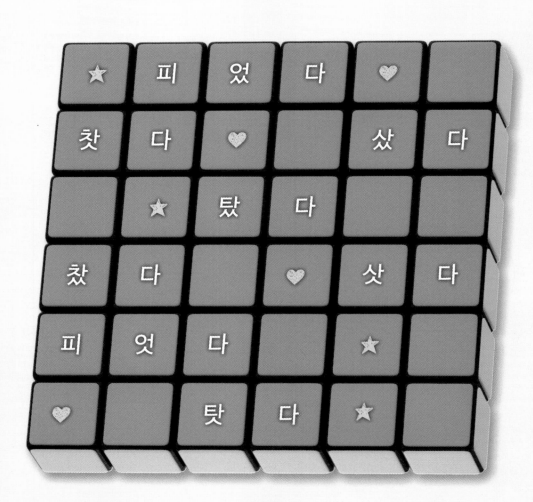

맞춤법 익히기

1주

🔊 이렇게 **소리** 나요!

✏️ 이렇게 **써**요!

[목]

목ㅅ

🅣 여럿으로 나누어 가지는 각 부분.

'몫'의 받침 'ㄳ'은 [ㄱ]으로 소리 나요.
하지만 쓸 때는 원래 받침인 'ㄳ'을 그대로 살려서 써요.

◆ 다음 그림과 낱말을 보고, 소리 내어 읽은 후 글자를 따라 쓰세요.

🔊 이렇게 **소리** 나요!

✏️ **따라** 쓰세요!

 품삯

품[싹]

품삯

🅣 일을 하고 받는 돈이나 물건.

🅔 흥부는 남의 집에서 일을 하고 **품삯**을 받았어요.

숙제가 많아서
놀 시간도
없어.

 **넋두리**

[넉]두리

넋두리

🅣 마음에 들지 않는 일을 길게 늘어놓으며 하는 말.

🅔 오빠는 숙제가 많다고 **넋두리**를 했어요.

받침 'ㅄ'

🔊 이렇게 **소리** 나요!　　　✏️ 이렇게 **써**요!

없다　→　[업]다　｜　없 다

'없다'의 'ㅄ'은 [ㅂ]으로 소리 나요.
하지만 쓸 때는 원래 받침인 'ㅄ'을 그대로 살려서 써요.

◆ 다음 그림과 낱말을 보고, 소리 내어 읽은 후 글자를 따라 쓰세요.

🔊 이렇게 **소리** 나요!　　　✏️ **따라** 쓰세요!

값　→　[갑]　｜　값

뜻 사고파는 물건에 매겨진 돈.
예 이 배추의 **값**은 6천 원입니다.

다리를 다쳤구나.
가엾어라.

가엾다　→　가[엽]다　｜　가 엾 다

뜻 마음이 아플 만큼 안되다.
예 다리를 다친 고양이가 **가엾다**.

1 그림을 보고 바른 낱말에 ◯표 하고, 빈칸에 쓰세요.

❶

| 갑 | / | 값 |

↓

| | |

❷

| 맛업따 | / | 맛없다 |

↓

| | | | |

2 알맞은 겹받침을 넣어 밑줄 그은 낱말을 바르게 고쳐 쓰세요.

❶ 엉엉 울고 있는 동생이 **가엽따**.

→ | | | | |

❷ 네가 내 **목**까지 먹어.

→ | | |

밑줄 그은 낱말을 바르게 쓴 칸을 6개 찾아 색칠하여 그림을 완성하세요.

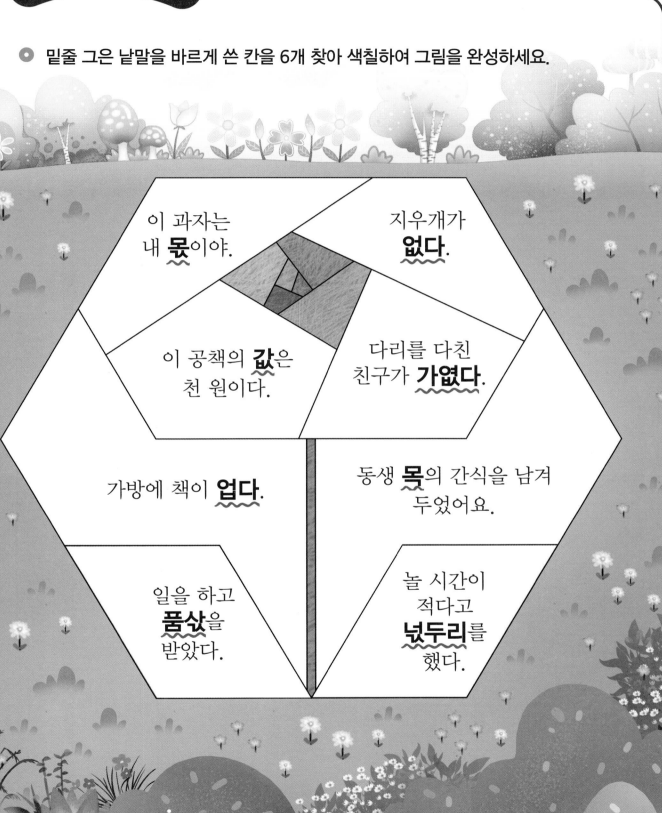

이 과자는
내 **몫**이야.

지우개가
없다.

이 공책의 **값**은
천 원이다.

다리를 다친
친구가 **가엾다**.

가방에 책이 **업다**.

동생 **목**의 간식을 남겨
두었어요.

일을 하고
품삯을
받았다.

놀 시간이
적다고
넋두리를
했다.

받침 'ㄴㅎ'

맞춤법 익히기

 🔊 이렇게 **소리** 나요!　　✏️ 이렇게 **써**요!

[만타]

| 많 | 다 |

받침 'ㄶ'은 뒤에 첫소리가 'ㄷ'인 글자가 오면 'ㅎ'과 'ㄷ'이 합쳐져서 [ㅌ]으로 소리 나요. 하지만 쓸 때에는 원래 받침인 'ㄶ'을 그대로 살려서 써요.

◆ 다음 그림과 낱말을 보고, 소리 내어 읽은 후 글자를 따라 쓰세요.

 🔊 이렇게 **소리** 나요!　　✏️ **따라** 쓰세요!

[끈타]

| 끊 | 다 |

 뜻 실, 줄, 끈 따위를 잘라 따로 떨어지게 하다.

예 가위로 끈을 잘라 **끊다**.

 나도 귀찮다옹~

귀[찬타]

| 귀 | 찮 | 다 |

 뜻 마음에 들지 않고 괴롭고 짜증스럽다.

예 청소를 하기가 **귀찮다**.

받침 'ㄹ흥'

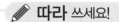 이렇게 **소리** 나요!

 이렇게 **써**요!

[실타]

실 다

1주

받침 'ㅀ'은 뒤에 첫소리가 'ㄷ'인 글자가 오면 'ㅎ'과 'ㄷ'이 합쳐져서 [ㅌ]으로 소리 나요. 하지만 쓸 때에는 원래 받침인 'ㅀ'을 그대로 살려서 써요.

◆ 다음 그림과 낱말을 보고, 소리 내어 읽은 후 글자를 따라 쓰세요.

 이렇게 **소리** 나요!

 **따라** 쓰세요!

[끌타]

끓 다

 뜻 물 따위가 뜨거워져서 소리를 내면서 거품이 솟아오르다.

예 찌개가 냄비에서 보글보글 **끓다**.

뜨거우니까 조심해!

[꿀타]

끓 다

 뜻 무릎을 구부려 바닥에 대다.

예 무릎을 **꿇다**.

1 그림을 보고 바른 낱말에 ◯표 하고, 빈칸에 쓰세요.

❶

가위로 잘라 ⬚⬚ .

❷

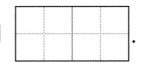

생선은 먹기 ⬚⬚ .

2 빈칸에 들어갈 낱말의 소리를 보고 알맞은 낱말을 쓰세요.

❶ 냄비에서 물이 보글보글 ◯◯ .

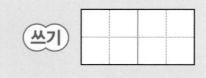

소리 [끌타]   쓰기 ⬚⬚

❷ 놀이공원에 사람이 아주 ◯◯ .

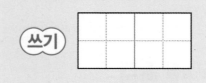

소리 [만타]   쓰기 ⬚⬚

◉ 민성이는 어떤 동물을 보러 갈까요? 파란색 낱말을 바르게 쓴 팻말에 ◯표 하고, 길을 따라 선을 그리세요.

민성

사과가 많다.

사과가 만타.

무릎을 꿇다.

무릎을 꿀타.

실을 끈타.

실을 끊다.

씻기 귀찬타.

씻기 귀찮다.

1 그림을 보고 바른 낱말을 골라 ◯표 하세요.

우리 안과 　| 박 |　의 원숭이
　　　　　　| 밖 |

2 밑줄 그은 낱말을 바르게 쓴 친구를 찾아 이름을 쓰세요.

공을 발로 **찻어요.**

수아

친구가 **많아요.**

민재

ᓂ이름 쓰는 곳

3 밑줄 그은 낱말을 바르게 쓴 풍선을 3개 찾아 색칠하세요.

꽃을 **꺽다.**

두 가지를 **섞다.**

밥을 **볶다.**

고기를 **낚다.**

연필을 **깍따.**

바닥을 **닥따.**

4 밑줄 그은 낱말이 바른 것에는 ○표, 바르지 않은 것에는 ✕표 하세요.

❶ 비가 오니 밖에 나가기가 **실타**.

(　　　　)

❷ 국이 보글보글 **끓다**.

(　　　　)

5 밑줄 그은 낱말을 바르게 고쳐 쓰세요.

❶ 할머니 댁에 가려고 버스를 **탓다**.

→

❷ 이 과자는 저 과자보다 **맛업다**.

→

6 알맞은 받침을 찾아 색칠하세요.

❶

재미있다.

ㅅ　ㅆ

❷

흙이 마다.

ㄴ　ㄶ

7 파란색으로 쓴 낱말이 바른 피아노 건반을 3개 찾아 색칠하세요.

| 잠을 잤다. | 밥을 복따. | 리본을 묶다. | 물이 끌타. | 무릎을 꿇다. | 구슬이 만타. |

8 바른 낱말에 ◯표 하고, 빈칸에 쓰세요.

닥다 / 닦다

❶ 바닥에 물을 쏟아서 걸레로 ⬚⬚ .

가엾따 / 가엾다

❷ 아픈 아이가 ⬚⬚⬚ .

끈타 / 끊다

❸ 엉켜서 풀리지 않는 고무줄을 가위로 ⬚⬚ .

● 정답과 풀이 3쪽

1주

◆ **문장을 잘 듣고 받아쓰세요.** (정답 3쪽의 문장을 불러 주시거나 QR을 찍어 들려주세요.)

❶

❷

❸

❹

❺

❻

❼

❽

❾

❿

1 다음 낱말의 ■에 들어갈 받침은 무엇인가요? (   )

> ■**다: 물고기를 잡다.**

① ㄱ   ② ㄲ   ③ ㅃ

④ ㅆ   ⑤ ㅉ

2 다음 음식의 이름을 바르게 쓴 것은 어느 것인가요? (   )

① 복음밥   ② 볶음밥   ③ 보금밥

④ 보끔밥   ⑤ 볶끔밥

3 다음 그림의 빈칸에 들어갈 알맞은 글자를 써넣으세요.

상자 안

● ← 상자

4 다음 문장의 빈칸에 들어갈 낱말을 알맞게 이으세요.

(1) 공책을 ☐ ·

    · ① 샀다.

    · ② 샀다.

(2) 과자를 ☐ ·

    · ① 먹었다.

    · ② 먹엇다.

5 받침 'ㅆ'이 들어가서 지나간 일을 나타내는 말을 <u>잘못</u> 쓴 것에 ✖표 하세요.

(1)

가다 → 갔다

(   )

(2)

차다 → 찼다

(   )

(3)

보다 → 봤다

(   )

6 다음에서 설명하는 낱말은 무엇인지 알맞은 것에 ◯표 하세요.

마음에 들지 않는 일을 길게 늘어놓으며 하는 말.

(　몫　 / 　넋두리　)

7 밑줄 그은 말과 바꾸어 쓸 수 있는 낱말은 어느 것인가요? (　　　)

이 신발의 가격은 5000원입니다.

① 갑　　② 갔　　③ 갘

④ 값　　⑤ 갃

8 그림을 보고 빈칸에 알맞게 써넣으세요.

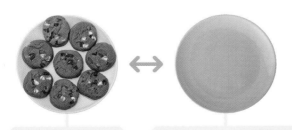

쿠키가 있다.　↔　쿠키가 [　|　] 다.

9 그림을 보고 밑줄 그은 낱말을 바르게 쓴 사람은 누구인지 이름을 쓰세요.

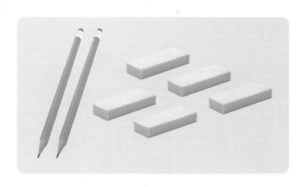

민서: 연필보다 지우개가 더 만타.
연주: 연필보다 지우개가 더 많다.

(　　　　　　　)

10 다음 그림과 낱말을 어울리는 것끼리 선으로 이으세요.

(1)

　　•

(2)

　　•

　•　　　　　•

①　　　　　②

끊다　　　끓다

1주 특강

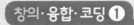

보드 게임 퀴즈

📖 길을 따라가 바르게 쓴 낱말에 ◯표 하세요.

1

보기 와 같이 문장에서 틀리게 쓴 부분을 찾아 바르게 고쳐 쓰세요.

보기

물감을 석따.

① 문장에서 틀린 낱말을 찾아 쓰세요.

석따

② ①에서 쓴 부분을 바르게 고쳐 쓰세요.

섞다

③ ②에서 쓴 부분에 주의하며 문장을 바르게 쓰세요.

물감을 섞다.

책이 만타.

① 문장에서 틀린 낱말을 찾아 쓰세요.

② ①에서 쓴 부분을 바르게 고쳐 쓰세요.

③ ②에서 쓴 부분에 주의하며 문장을 바르게 쓰세요.

2 빈칸에 들어갈 낱말이 바르게 쓰인 구슬을 꿰어 목걸이를 완성하세요.

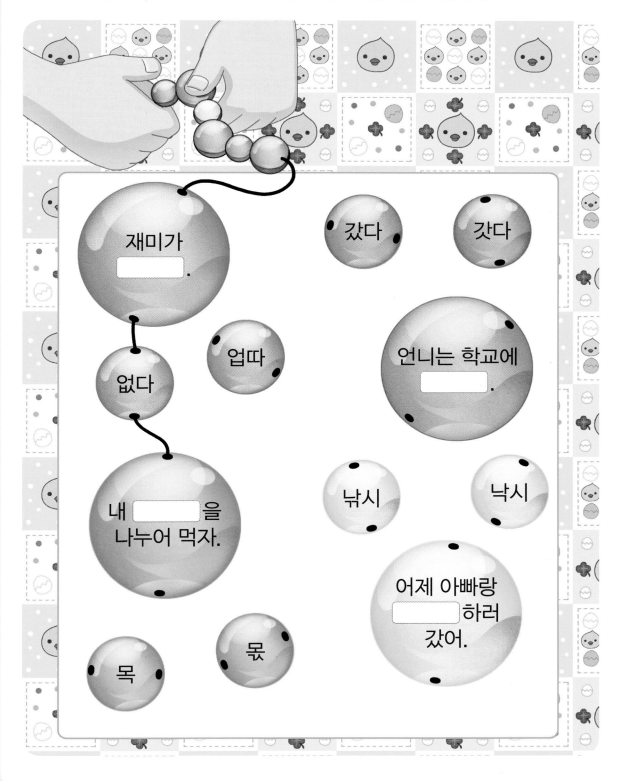

논리 탄탄

1 다음 화살표 순서대로 자음자와 모음자를 모아 낱말을 완성해서 빈칸에 쓰세요.

❶ 화살표 순서 → → ↓ → ↓ ↓ ←

시작

다친 친구가

❷ 화살표 순서 ↓ → ↓ ↓ → → ↑

시작

ㄴ	ㅎ	ㅕ	ㅠ
ㅓ	ㄱ	ㄷ	ㅅ
ㅇ	ㅅ	ㅗ	ㅣ
ㅈ	ㄷ	ㅜ	ㄹ

숙제가 너무 많다고

를

했어요.

2 보기와 같이 밑줄 그은 낱말을 바르게 썼으면 오른쪽으로 한 칸 움직이고, 바르게 쓰지 못했으면 아래로 한 칸 움직여 도착하는 곳에 있는 과일에 ◯표 하세요.

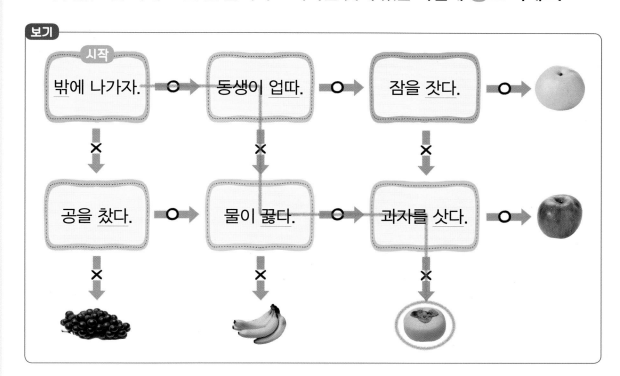

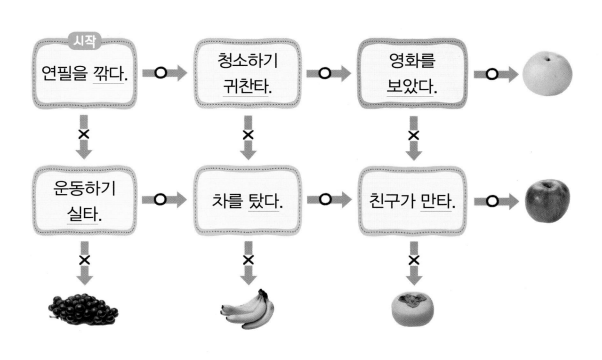

2주에는 무엇을 공부할까?

✱ 사다리를 타고 내려가 낱말의 받침을 확인하세요.

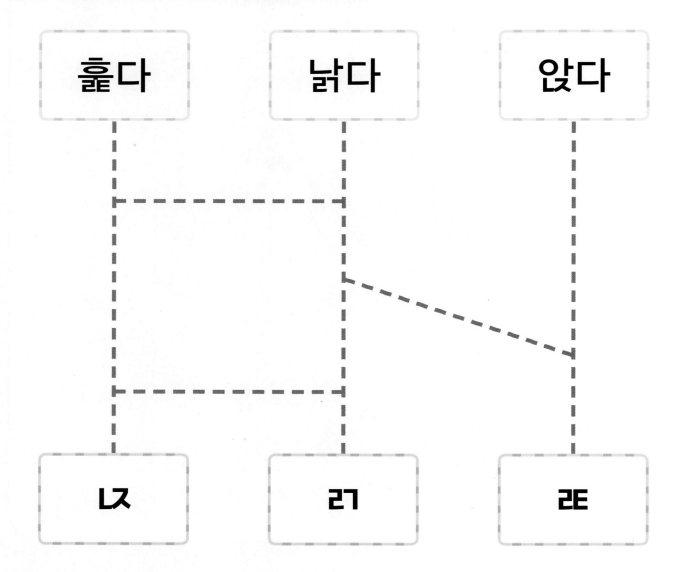

★ 받침 'ㄼ'이 들어간 낱말에 모두 ◯표 하세요.

굶다

닮다

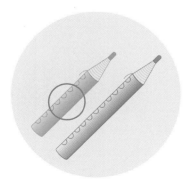

짧다

밝다

여덟

받침 'ㄲ'

받침 'ㄻ'

맞춤법 익히기

이렇게 **소리** 나요!

✏️ 이렇게 **써**요!

젊다 [점따]

젊 다

받침 'ㄻ'은 읽을 때 두 받침 중 하나만 소리 나요. 하지만 쓸 때에는 원래 받침인 'ㄻ'을 그대로 살려서 써요.

◆ 다음 그림과 낱말을 보고, 소리 내어 읽은 후 글자를 따라 쓰세요.

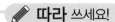
이렇게 **소리** 나요!

✏️ **따라** 쓰세요!

닮다 [담따]

닮 다

뜻 비슷하게 생기다.

예 나랑 내 동생은 서로 **닮았습니다.**

굶다 [굼따]

굶 다

뜻 밥을 먹지 않다.

예 하루 종일 **굶다가** 라면을 먹었습니다.

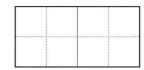
곪다

소리
[곰따]

😊 뜻 상처가 덧나 고름이 생기다.
😊 예 상처가 **곪다**.

감기가 옮았어요.

옮다

소리
[옴따]

😊 뜻 병이 다른 사람에게 옮겨지다.
😊 예 병이 **옮을까** 걱정이에요.

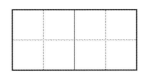

+더 익히기

받침 'ㄻ' 다음에 'ㅇ'으로 시작하는 글자가 있으면 'ㄻ'의 'ㅁ'이 다음 글자로 넘어가서 소리 나요. 하지만 쓸 때에는 **원래 받침인 'ㄻ'을** 그대로 살려서 써요.

받침 ㄻ + ㅇ

젊은이

😊 뜻 나이가 젊은 사람.

🔊 이렇게 **소리** 나요!
[절믄]이

✏️ 이렇게 **써요!**

젊	은	이

닮은꼴

😊 뜻 비슷한 모양으로 생긴 것.

[달믄]꼴

닮	은	꼴

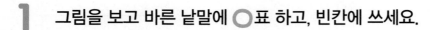
1 그림을 보고 바른 낱말에 ◯표 하고, 빈칸에 쓰세요.

❶

꼬르륵

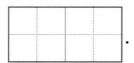
굼따 / 굶다

점심을 ☐☐ .

❷

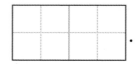
젊다 / 점따

나무꾼이 ☐☐ .

❸

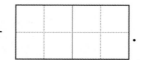
곰따 / 곪다

상처가 ☐☐ .

2 밑줄 그은 낱말을 바르게 고쳐 쓰세요.

❶ 친구에게 감기가 **옴따**.

→ ☐☐

❷ 동생이 나를 많이 **담따**.

→ ☐☐

● 배달하는 아저씨가 음식을 가져다주러 가고 있어요. 길을 따라가며 바른 낱말에
○표 하고 길을 그려 보세요.

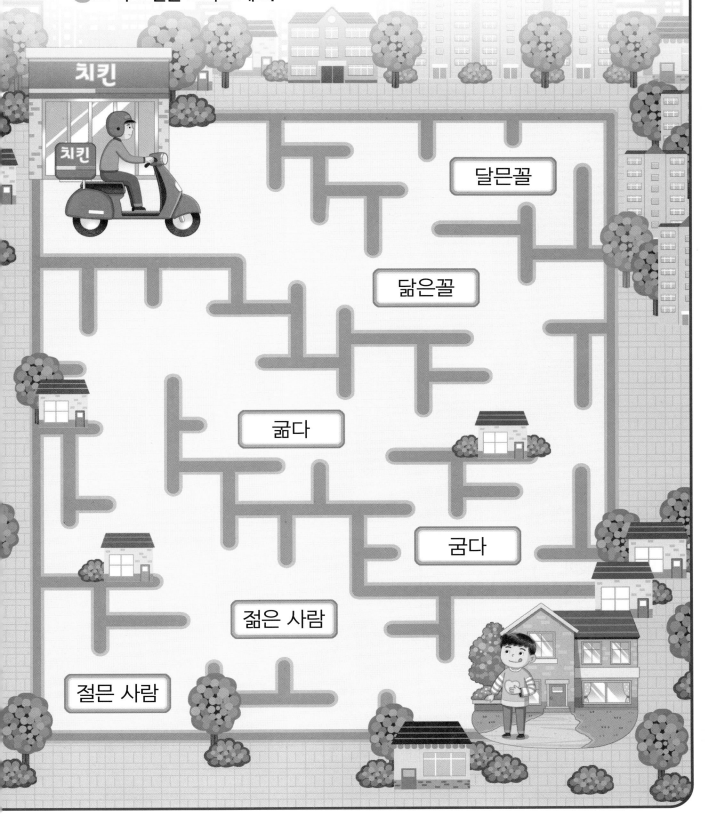

받침 ' ㄹㄱ '

받침 ' ㄺ '

 이렇게 **소리** 나요!　　　 이렇게 **써**요!

늙다 [늑따] | 늙 다

받침 'ㄺ'은 읽을 때 두 받침 중 하나만 소리 나요. 하지만 쓸 때에는 원래 받침인 'ㄺ'을 그대로 살려서 써요.

◆ 다음 그림과 낱말을 보고, 소리 내어 읽은 후 글자를 따라 쓰세요.

 이렇게 **소리** 나요!　　　 **따라** 쓰세요!

밝다
뜻 환하다.

[박따]

해가 밝 다 .

굵다
뜻 두께가 크다.

[국따]

연필이 굵 다 .

맑다
뜻 더러운 것이 없다.

[막따]

물이 맑 다 .

낡다

뜻 오래되어 헐다.
예 컴퓨터가 **낡다.**

🔊 소리

[낙따]

묽다

뜻 반죽에 물기가 많다.
예 빵 반죽이 **묽다.**

🔊 소리

[묵따]

등을 긁을 수 있는 **효자손**
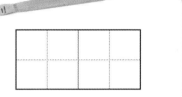

긁다

뜻 뾰족한 것으로 문지르다.
예 가려워서 등을 **긁다.**

🔊 소리

[극따]

➕ **더 익히기**

받침 'ㄺ' 다음 글자가 'ㅇ'으로 시작하면 'ㄺ'의 'ㄱ'이 다음 글자로 넘어가서 소리 나요. 하지만 **쓸 때에는 원래 받침인 'ㄺ'**을 그대로 살려서 써요.

받침 ㄺ + ㅇ

읽을거리

뜻 읽을 만한 책이나 글.

🔊 이렇게 **소리** 나요!

[일글]거리

✏️ 이렇게 **써**요!

읽	을	거	리

1 그림을 보고 바른 낱말에 ◯표 하세요.

❶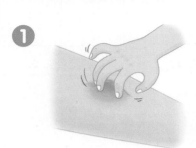

팔을 [극따 / 긁다] .

❷

자동차가 [낡다 / 낙따] .

❸

면이 [굵다 / 국따] .

2 밑줄 그은 낱말을 바르게 고쳐 쓰세요.

❶ 아침 해가 **박따**.

→

❷ 도서관에 가면 **일글꺼리**가 많아서 좋아요.

→

● 이 그림에는 다음 4가지가 숨어 있어요. 숨은그림을 찾아 ◯표 하세요.

숨은그림

굵은 연필   닭 다리   낡은 책   밝은 등

받침 ' ㄼ '

받침 '래'

 이렇게 **소리** 나요!　　🖉 이렇게 **써요!**

넓다 ▶ [널따] | **넓 다**

받침 '래'은 대부분 읽을 때 [ㄹ]로 소리 나요. 하지만 쓸 때에는 원래 받침인 '래'을 그대로 살려서 써요.

◆ 다음 그림과 낱말을 보고, 소리 내어 읽은 후 글자를 따라 쓰세요.

 이렇게 **소리** 나요!　　🖉 **따라** 쓰세요!

 **짧다**
뜻 길이가 길지 않다.

[짤따] | 색연필이 **짧 다**.

 **얇다**
뜻 두께가 두껍지 않다.

[얄따] | 책이 **얇 다**.

 **여덟**

[여덜] | **여 덟**

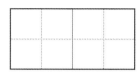 바르게 써 보세요!

떫다

뜻 텁텁한 맛이 있다.
예 맛이 **떫어서** 뱉었어요.

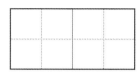 소리

[떨따]

엷다

뜻 빛깔이 진하지 않다.
예 하늘을 **엷게** 색칠했어요.

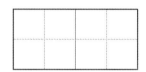 소리

[열따]

받침 '럐'은
대부분 [ㄹ]로 소리 나지만 [ㅂ]으로
소리 나기도 해요.

밟다

뜻 발을 대고 누르다.
예 잔디를 **밟지** 마세요.

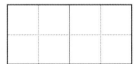 소리

[밥따]

모래를 밟고 가면
발자국이 생겨.

 더 익히기

받침 '럐' 다음 글자가 'ㅇ'으로 시작하면 'ㅂ'이 다음 글자로 넘어
가서 소리 나요. 하지만 **쓸 때에는 원래 받침인 '럐'을**
그대로 살려서 써요.

받침 럐 + ㅇ

 넓이

뜻 물건이나 장소의 넓은 정도.

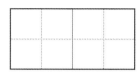 이렇게 **소리** 나요!

[널비]

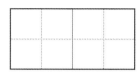 이렇게 **써요!**

| 넓 | 이 |

2

주

1 보기에서 알맞은 낱말을 찾아 빈칸에 바르게 쓰세요.

> 보기
>
> 떫다　　　짧다　　　얇다

① 　펭귄은 다리가 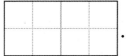.

② 　파란색 책이 .

③ 　덜 익은 감을 먹으면 .

2 밑줄 그은 낱말을 바르게 고쳐 쓰세요.

① 운동장이 **넓따**.

→

② 8은 '**여덜**'이라고 써요.

→

● 수족관에 왔어요. 물속에서 맞춤법이 바른 글자를 떠올린 동물을 3마리 찾아 ○표 하세요.

받침 'ㄵ'

맞춤법 익히기

🔊 이렇게 **소리** 나요!　　✏️ 이렇게 **써**요!

 **앉다**　[안따]　|　앉 다

받침 'ㄵ'은 [ㄴ]으로 소리 나요. 하지만 쓸 때에는 원래 받침인 'ㄵ'을 그대로 살려서 써요.

2주

◆ 다음 그림과 낱말을 보고, 소리 내어 읽은 후 글자를 따라 쓰세요.

🔊 이렇게 **소리** 나요!　　✏️ **따라** 쓰세요!

 얹다　[언따]　|　얹 다

뜻 위에 올려놓다.
예 접시에 계란을 **얹다**.

물이나 가루를 뿌릴 때 '끼얹다'를 써요.

 끼얹다　[끼언따]　|　끼 얹 다

뜻 위에 뿌리다.
예 샐러드에 소스를 **끼얹다**.

받침 ' ㄹㅌ '

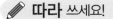

🔊 이렇게 **소리** 나요!

✏️ 이렇게 **써요!**

핥다   [할따]   핥 다

받침 'ㄾ'은 읽을 때 [ㄹ]로 소리 나요.

하지만 쓸 때에는 원래 받침인 'ㄾ'을 그대로 살려서 써요.

◆ 다음 그림과 낱말을 보고, 소리 내어 읽은 후 글자를 따라 쓰세요.

🔊 이렇게 **소리** 나요!

✏️ **따라** 쓰세요!

훑다   [훑따]   훑 다

🔍 붙은 것을 떼려고 잡아당기다.

예 벼 이삭을 **훑다**.

➕**더 익히기**

받침 'ㄾ' 다음 글자가 'ㅇ'으로 시작하면 'ㅌ'이 다음 글자로 넘어가서 소리 나요. 하지만 쓸 때에는 원래 받침인 'ㄾ'을 그대로 살려서 써요.

받침 ㄾ + ㅇ

🔊 이렇게 **소리** 나요!

✏️ 이렇게 **써요!**

훑어보다   [훑터]보다   훑 어 보 다

🔍 처음부터 끝까지 쭉 보다.

1 다음 그림을 보고 바른 낱말에 ◯표 하세요.

❶

아이스크림을
할타
핥다
.

❷

책상에 책을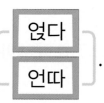
얹다
언따
.

❸

벼를
훌다
훑다
.

2 밑줄 그은 낱말을 바르게 고쳐 쓰세요.

❶ 의자에 바르게 **안따**.

→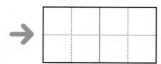

❷ 도서관에서 여러 가지 책을 **훌터보다**.

→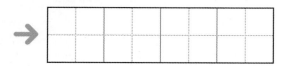

◑ 정답과 풀이 6쪽

● 사다리를 타고 내려가서 밑줄 그은 낱말을 바르게 고쳐 쓰세요.

돌을 **언다**.

혀로 **할다**.

혼자 **앉따**.

벼를 **훌다**.

1 그림을 보고 바른 낱말을 골라 ○표 하세요.

❶

(할타 / 핥아) 먹어요.

❷

벼 이삭을 (훑다 / 훌따).

2 밑줄 그은 낱말을 바르게 쓴 친구를 찾아 이름을 쓰세요.

나는 동생과
달마써요.

진서

우리 삼촌은
젊어요.

윤아

✐이름 쓰는 곳

3 알맞은 받침을 찾아 색칠하세요.

❶

가려워서 긁었어요.

ㄺ   ㄹ

❷

이 책이 더 얇아요.

ㄹ   ㄼ

4 밑줄 그은 낱말이 바른 것에는 ○표, 틀린 것에는 ✕표 하세요.

① 다리가 **짧바서** 옷이 끌려요.
　　　　（　　　　）

② 발에 물을 **끼얹어요**.
　　　　（　　　　）

③ 나는 **여덟** 살이에요.
　　　（　　　　）

5 빈칸에 들어갈 말을 알맞게 이으세요.

① 동생한테 감기가 [　　] 어요. •

　　　　　　　　　　　　　　　• 옮았

　　　　　　　　　　　　　　　• 올맜

② 우리 집 세탁기가 많이 [　　] 어요. •

　　　　　　　　　　　　　　　• 날갔

　　　　　　　　　　　　　　　• 낡았

③ 내 발을 [　　] 친구가 사과했어요. •

　　　　　　　　　　　　　　　• 밟은

　　　　　　　　　　　　　　　• 발븐

④ 밥에 계란을 [　　] 서 먹었어요. •

　　　　　　　　　　　　　　　• 언저

　　　　　　　　　　　　　　　• 얹어

6 그림을 보고 바른 낱말에 ◯표 하고, 빈칸에 쓰세요.

❶

굴머 / 굶어

아침을 [   ][   ]서 배가 고파요.

❷

날근 / 낡은

[   ][   ] 자동차를 보았어요.

7 다음 밑줄 그은 낱말을 바르게 고쳐 쓰면서 징검돌을 건너 보세요.

달이 **박따**. [   ][   ]

글이 **짭다**. [   ][   ]

책을 **익따**. [   ][   ]

○ 정답과 풀이 7쪽

◆ **문장을 잘 듣고 받아쓰세요.** (정답 7쪽의 문장을 불러 주시거나 QR을 찍어 들려주세요.)

2주

누구나 100점 TEST

1 다음 그림에 알맞은 낱말은 무엇인가요? (　　　)

① 굶다　② 훑다　③ 묽다
④ 굵다　⑤ 곪다

2 다음 표의 빈칸에 들어갈 낱말은 무엇인가요? (　　　)

ㄼ	엷다
ㄺ	맑다
ㄻ	?

① 넓다　② 곪다　③ 곰다
④ 긁다　⑤ 끼얹다

3 다음 중 잘못 쓴 낱말은 무엇인가요?
(　　　)

① 떫다　② 젊다
③ 닮은꼴　④ 읽을거리
⑤ 훌터보다

4 빨간색 글자에 들어간 받침을 찾아 선으로 이으세요.

(1) 닮다 •	• ① ㄵ
(2) 짧다 •	• ② ㄻ
(3) 얹다 •	• ③ ㄼ
(4) 핥다 •	• ④ ㄾ

5 보기의 낱말을 받침 'ㄼ'이 들어간 것과 받침 'ㄺ'이 들어간 것으로 나누어 쓰세요.

보기
밝다　짧다
얇다　낡다

(1) 받침 'ㄼ'이 들어간 낱말	
(2) 받침 'ㄺ'이 들어간 낱말	

6 다음 뜻에 알맞은 낱말을 **보기**에서 골라 쓰세요.

보기

늙다   젊다

(1) 나이가 많이 들지 않다.

(   )

(2) 나이가 많이 들다.

(   )

7 잘못 쓴 낱말을 바르게 고친 것 중 <u>틀린</u> 것은 어느 것인가요? (   )

① 옴따 → 옳다

② 곰따 → 곪다

③ 언따 → 얹다

④ 할따 → 핥다

⑤ 얄따 → 얇다

8 다음 그림에서 사과가 몇 개인지 두 글자로 쓰세요.

(   ) 개

9 그림을 보고 ☐ 안에 들어갈 말을 고르세요. (   )

빨간색 운동화가
파란색 운동화보다 ☐ .

① 밟았다 ② 맑았다 ③ 닭았다

④ 앉았다 ⑤ 낡았다

10 빈칸에 알맞은 받침을 써넣으세요.

(1) 안다

(2) 임을거리

(3) 닮은꼴

보드 게임 퀴즈

📖 마술 카드를 따라가며 바르게 쓴 낱말에 ◯표 하세요.

1 보기와 같이 빈칸에 알맞은 받침을 쓰고, 같은 받침이 들어간 낱말에 ◯표 하세요.

보기

굵다
[ㄹㄱ]
뜻 두께가 크다.

젊다	읊다	핥다
묽다	앉다	낡다
엷다	짧다	닮다

밟다
[　]
뜻 발을 대고 누르다.

늙다	읊다	떫다
맑다	여덟	끼얹다
굵다	훑다	젊은이

2 다섯 고개 놀이의 정답이 무엇인지 친구들의 말풍선에서 골라 쓰세요.

읽을거리   먹을거리   볼거리

	질문		대답
1	동물인가요?	⇒	아니요, 물건입니다.
2	학교에서 볼 수 있나요?	⇒	네, 특히 도서관에서 볼 수 있습니다.
3	한 가지 색깔인가요?	⇒	아니요, 여러 가지 색깔입니다.
4	세 글자인가요?	⇒	아니요, 네 글자입니다.
5	받침 'ㄹ'이 들어가나요?	⇒	네, 받침 'ㄹ'이 들어갑니다.

(   )

논리 탄탄

1 <보기>와 같이 숫자를 따라 선을 잇고, 만들어진 낱말을 써넣어 문장을 완성하세요.

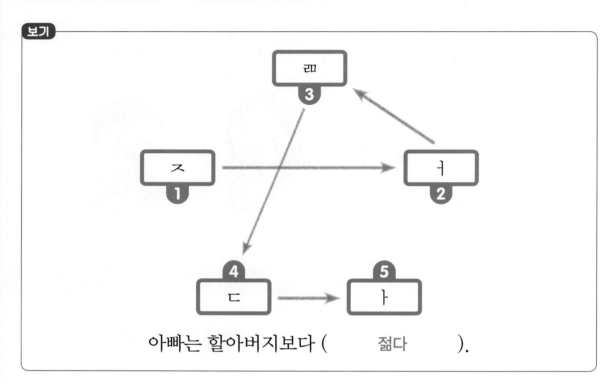

아빠는 할아버지보다 (젊다   ).

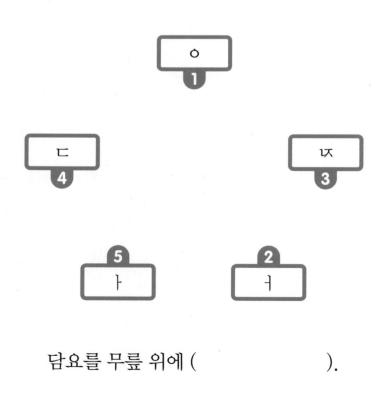

담요를 무릎 위에 (   ).

2 보기 를 보고 규칙을 찾아 빈칸에 쓰세요.

보기

①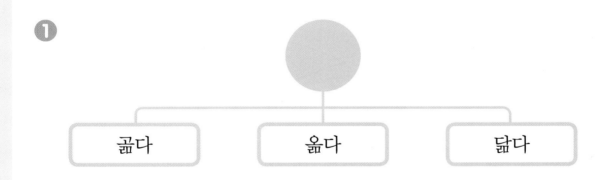

②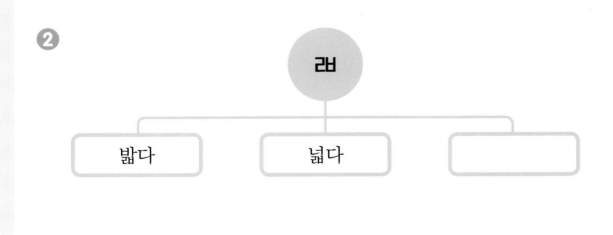

3주에는 무엇을 공부할까? ①

소리가 비슷한 낱말을 구별해서 써요

3주에는 무엇을 공부할까?

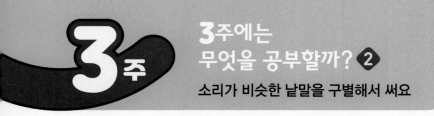

⭐ 다음 그림을 나타내는 낱말을 찾아 선을 그으세요.

같다

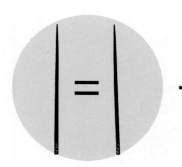

맞히다

느리다

● 정답과 풀이 9쪽

★ 퍼즐에 들어갈 알맞은 낱말을 보기 에서 찾아 쓰세요.

보기

덮고   닫히다   반드시

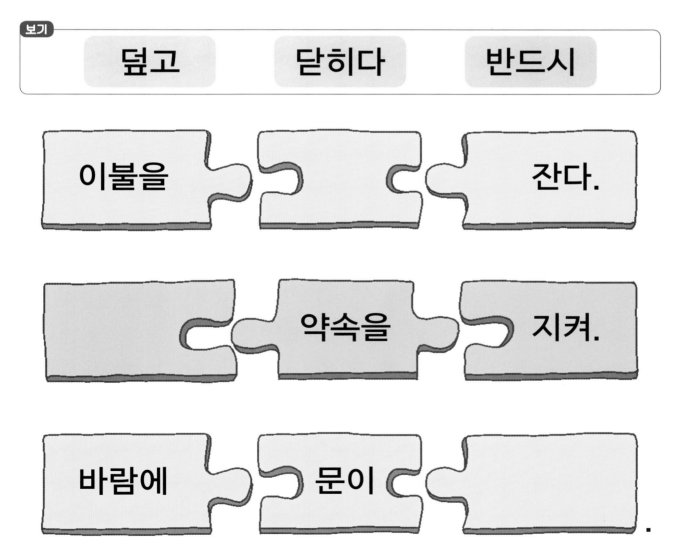

이불을   잔다.

약속을   지켜.

바람에   문이   .

갔다/같다

맞춤법 익히기

📖 뜻을 익혀요!

학교에 **갔다**.

어디로 가 버렸다.

색깔이 서로 **같다**.

다르지 않다.

'갔다'와 '같다'처럼 소리는 같지만 뜻이 달라서 헷갈리는 낱말이 있어요.
뜻을 생각하며 알맞은 낱말을 구별해서 써요.

◆ 다음 그림과 문장을 보고, 소리 내어 읽은 후 글자를 따라 쓰세요.

먼저 갈게.

친구가 먼저  갔다 .

나와 친구의 나이가  같다 .

'단풍잎이 아기 손 같다.'처럼
다른 것과 비슷하다고 표현할 때도
쓰여요.

부치다/붙이다

📖 뜻을 익혀요!

편지를 **부치다**.

보내다.

붙임 딱지를 **붙이다**.

떨어지지 않게 하다.

3주

'부치다'와 '붙이다'는 읽는 소리는 [부치다]로 같지만 뜻이 달라서 헷갈리는 낱말이에요.

◆ 다음 그림과 문장을 보고, 소리 내어 읽은 후 글자를 따라 쓰세요.

택배를 부 치 다 .

편지나 택배를 부칠 때에는 우체국으로 오세요.

색종이를 풀로 붙 이 다 .

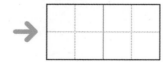

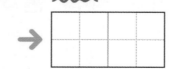

1일 바르게 쓰기

1 그림을 보고 바른 낱말을 [보기]에서 찾아 빈칸에 쓰세요.

[보기]

갔다   같다   부치고   붙이고

① 학교에 □□□ 왔어요.

② 떡볶이가 맛있을 것 □□.

③ 로봇의 팔을 □□□□ 싶어요.

2 밑줄 그은 낱말을 바르게 고쳐 쓰세요.

① 친구가 놀이공원에 **같다** 왔다고 자랑했어요.

→ □□□

② 알림판이 꽉 차서 쪽지를 **부칠** 데가 없어요.

→ □□

● 놀이공원에 왔어요. 맞춤법이 틀린 낱말이 있는 고장 난 놀이 기구를 2개 찾아 ◯표 하세요.

집에 같다.

봉투에 부치기

색이 같다.

편지 부치기

마치다/맞히다

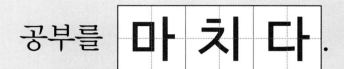

맞춤법 익히기

📖 뜻을 익혀요!

공부를 | 마 | 치 | 다 |.

어떤 일을 끝내다.

정답을 | 맞 | 히 | 다 |.

답을 틀리지
않게 하다.

3주

'마치다'와 '맞히다'는 소리는 [마치다]로 같지만 뜻이 달라서 헷갈려요.
답을 맞힐 때에는 '맞히다'를 써요.

◆ 다음 그림과 문장을 보고, 소리 내어 읽은 후 글자를 따라 쓰세요.

식사 준비를 다
마쳤으니 와서
밥 먹으렴.

식사 준비를 | 마 | 치 | 다 |.

산은 산인데,
들 수 있는 산은?

우산

수수께끼를 | 맞 | 히 | 다 |.

반드시/반듯이

📖 **뜻**을 익혀요!

| 반 | 드 | 시 | 기억해요. | 틀림없이 꼭. |

| 반 | 듯 | 이 | 앉아요. | 비뚤지 않고 바르게. |

'반드시'와 '반듯이'는 소리는 [반드시]로 같지만 뜻이 달라서 헷갈려요.
정확한 뜻을 생각하며 구별해서 써야 해요.

3주

◆ 다음 그림과 문장을 보고, 소리 내어 읽은 후 글자를 따라 쓰세요.

꼭 와야 해!

약속은 반드시 지켜야 해.

생일잔치에　| 반 | 드 | 시 |　와.

침대에　| 반 | 듯 | 이 |　누웠어요.

1 그림을 보고 알맞은 낱말에 ◯표 하고, 빈칸에 쓰세요.

❶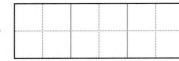

반드시 / 반듯이

책을 〔　　　　〕 정리했어요.

❷

꼭 가야지!

반드시 / 반듯이

운동을 〔　　　　〕 해요.

❸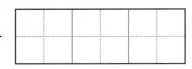

끙끙...

마치 / 맞히

문제의 답을 〔　　　〕고 싶어요.

2 밑줄 그은 낱말을 바르게 고쳐 쓰세요.

❶ 운동을 **맞히고** 책을 읽었어요.

→ 〔　　　　〕

❷ 자세를 바르게 **반드시** 앉아서 공부해요.

→ 〔　　　　〕

● 사다리를 타고 내려가 빈칸에 알맞은 낱말에 ◯표 하세요.

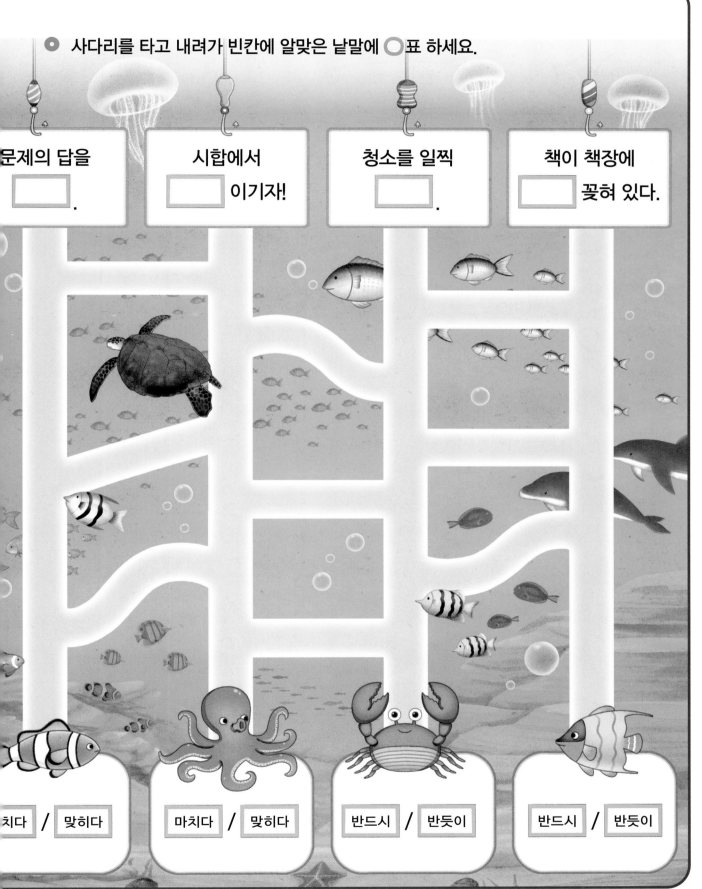

문제의 답을 □ .

시합에서 □ 이기자!

청소를 일찍 □ .

책이 책장에 □ 꽂혀 있다.

치다 / 맞히다

마치다 / 맞히다

반드시 / 반듯이

반드시 / 반듯이

다치다/닫히다

맞춤법 익히기

📖 **뜻**을 익혀요!

손을 | 다 | 치 | 다 |.

상처가 생기다.

문이 | 닫 | 히 | 다 |.

열린 문이나
서랍이 닫아지다.

3주

'다치다'와 '닫히다'는 소리는 [다치다]로 같지만 뜻이 달라서 헷갈려요.
정확한 뜻을 생각하며 구별해서 써야 해요.

◆ 다음 그림과 문장을 보고, 소리 내어 읽은 후 글자를 따라 쓰세요.

다리를 | 다 | 치 | 다 |.

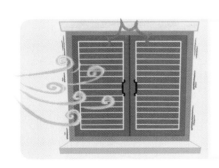

창문이 바람에 | 닫 | 히 | 다 |.

닫히는 문에 끼여
다치지 않게 조심하세요.

덥다/덮다

📖 **뜻**을 익혀요!

날씨가 | 덥 | 다 |.   온도가 높다.

뚜껑을 | 덮 | 다 |.   얹어서 씌우다.

'덥다'와 '덮다'처럼 소리는 같지만 뜻이 달라서 헷갈리는 낱말이 있어요.
뜻을 생각하며 알맞은 낱말을 구별해서 써요.

3주

◆ 다음 그림과 문장을 보고, 소리 내어 읽은 후 글자를 따라 쓰세요.

너무 덥네.

오늘이 어제보다 | 덥 | 다 |.

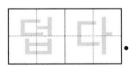
이불을 잘 덮고 자야 해요.

이불을 | 덮 | 다 |.

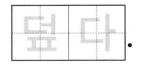

1 그림을 보고 알맞은 낱말에 ◯표 하세요.

❶ 　넘어져서 무릎을

> 다치다
> 닫히다

❷ 　화분을 흙으로

> 덥다
> 덮다

❸ 　여름에는 날씨가

> 덥다
> 덮다

2 밑줄 그은 낱말을 바르게 고쳐 쓰세요.

❶ 병뚜껑이 너무 꽉 **다쳐서** 열 수가 없다.

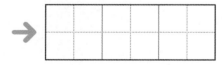

❷ 날씨가 추워서 담요를 **덥다.**

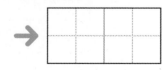

◉ 정서가 친구를 만나러 가요. 알맞은 문장이 쓰인 길을 따라 선을 그어 정서가 친구를 만날 수 있게 하세요.

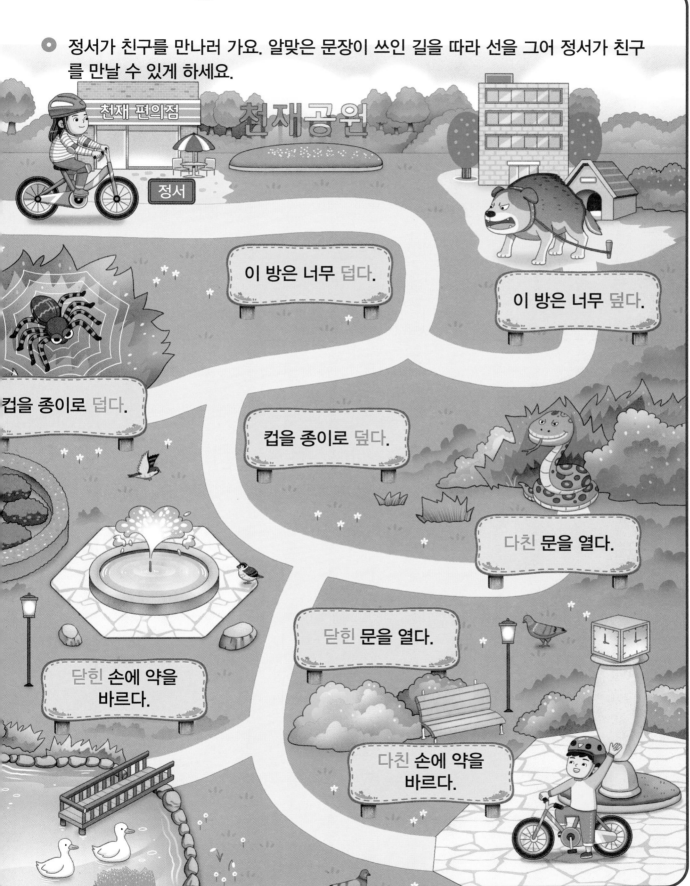

느리다/늘이다

맞춤법 익히기

📖 뜻을 익혀요!

달팽이가 | 느 | 리 | 다 |. 　　걸리는 시간이 길다.

고무줄을 | 늘 | 이 | 다 |. 　　더 길게 하다.

3주

'느리다'와 '늘이다'는 소리는 [느리다]로 같지만 뜻이 달라서 헷갈려요.
정확한 뜻을 생각하며 구별해서 써야 해요.

◆ 다음 그림과 문장을 보고, 소리 내어 읽은 후 글자를 따라 쓰세요.

와, 내가
이겼다!

거북은 토끼보다 | 느 | 리 | 다 |.

나도 잘
늘어나.

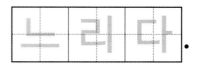

엿가락을 길게 | 늘 | 이 | 다 |.

시키다/식히다

📖 뜻을 익혀요!

청소를 | 시 | 키 | 다 | .　　　행동을 하게 하다.

뜨거운 물을 | 식 | 히 | 다 | .　　　더운 기를 없애다.

'시키다'와 '식히다'는 소리는 [시키다]로 같지만 뜻이 달라서 헷갈려요.
정확한 뜻을 생각하며 구별해서 써야 해요.

◆ 다음 그림과 문장을 보고, 소리 내어 읽은 후 글자를 따라 쓰세요.

심부름을 | 시 | 키 | 다 | .

 '피자를 시키다.', '자장면을 시키다.'와 같이
음식을 만들거나 가지고 오도록 할 때도 '시키다'를 써요.

뜨거운 차를 | 식 | 히 | 다 | .

1 그림을 보고 알맞은 낱말에 〇표 하고, 빈칸에 쓰세요.

①

| 느리다 | / | 늘이다 |

거북은 움직임이 [ㅤㅤㅤㅤ].

②

| 시켜서 | / | 식혀서 |

뜨거운 차는 [ㅤㅤㅤㅤ] 먹어요.

③

| 시켜서 | / | 식혀서 |

누나가 [ㅤㅤㅤㅤ] 청소를 해요.

2 밑줄 그은 낱말을 바르게 고쳐 쓰세요.

① 바지 길이가 짧아서 길게 **느리다**.

→ [ㅤㅤㅤㅤ]

② 방금 삶은 고구마는 뜨거우니까 **시켜서** 먹어야 한다.

→ [ㅤㅤㅤㅤ]

● 파란색 낱말을 바르게 쓴 칸에 색칠하여 집과 나무 중 어떤 그림이 숨어 있는지 쓰세요.

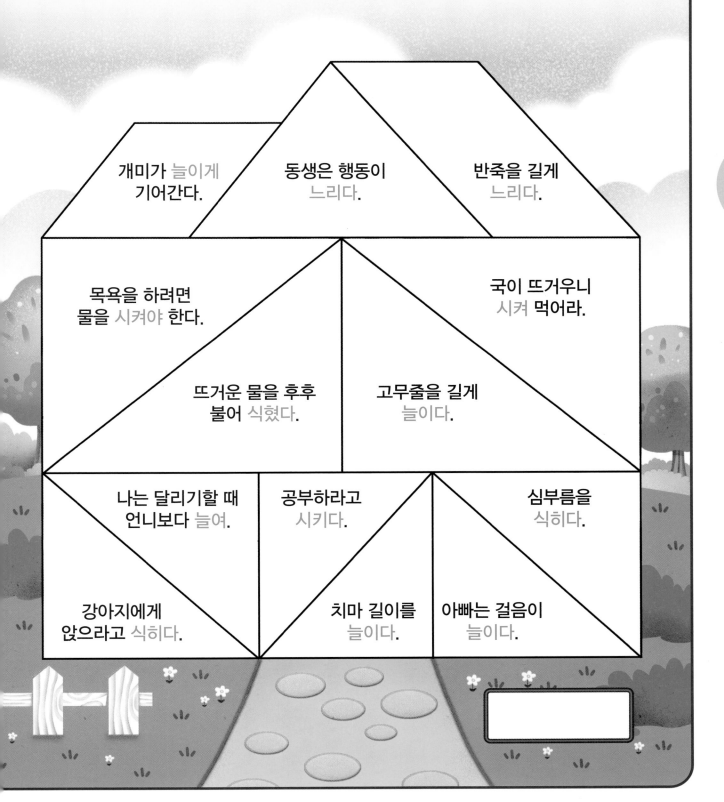

개미가 늘이게 기어간다.

동생은 행동이 느리다.

반죽을 길게 느리다.

목욕을 하려면 물을 시켜야 한다.

국이 뜨거우니 시켜 먹어라.

뜨거운 물을 후후 불어 식혔다.

고무줄을 길게 늘이다.

나는 달리기할 때 언니보다 늘여.

공부하라고 시키다.

심부름을 식히다.

강아지에게 앉으라고 식히다.

치마 길이를 늘이다.

아빠는 걸음이 늘이다.

1 그림을 보고 알맞은 낱말에 ◯표 하세요.

색종이를 상자에

(부쳐요 / 붙여요).

2 밑줄 그은 낱말을 바르게 쓴 친구를 찾아 이름을 쓰세요.

나는 동물원에 **같다**.

진서

우체국에 **갔다가** 도서관에 갔어요.

윤아

↙ 이름 쓰는 곳

3 그림에 알맞은 낱말을 찾아 선으로 이으세요.

· ① 답을 마치다 .

· ② 답을 맞히다 .

4 밑줄 그은 낱말이 알맞은 것에는 ○표, 틀린 것에는 ✕표 하세요.

❶ 음식을 먹고 **반드시** 양치질을 해요.

        (   )

❷ 식사를 **마치고** 강아지와 함께 산책해요.

        (   )

5 밑줄 그은 낱말을 바르게 고쳐 쓰세요.

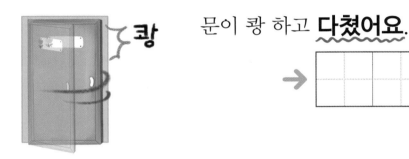

문이 쾅 하고 **다쳤어요.**

→

6 밑줄 그은 낱말이 바르게 쓰인 연잎에 앉은 개구리는 몇 마리인지 쓰세요.

편지를 써서 **부치다.**

어제 바다에 **갔다.**

날씨가 **덮다.**

심부름을 **식히다.**

                   (   ) 마리

7 밑줄 그은 낱말을 바르게 쓴 기차 칸에 색칠하세요.

바닥을 신문지로 **덮다**.

고무줄을 길게 **느리다**.

나와 짝은 키가 **갔다**.

숙제를 일찍 **마치다**.

8 바른 낱말에 ◯표 하고, 빈칸에 쓰세요.

| 반드시 | / | 반듯이 |

❶ 약속은 ⬚⬚⬚⬚ 지켜야 해요.

| 시켜서 | / | 식혀서 |

❷ 국수가 너무 뜨거워서 ⬚⬚⬚⬚ 먹었어요.

◆ **문장을 잘 듣고 받아쓰세요.** (정답 11쪽의 문장을 불러 주시거나 QR을 찍어 들려주세요.)

❶

❷

❸

❹

❺

❻

❼

❽

❾

❿

1 다음 중 바르지 <u>않은</u> 문장은 무엇인가요? (   )

① 아빠와 함께 산에 갔다.

② 내 짝과 나는 나이가 갔다.

③ 축구를 하러 운동장에 갔다.

④ 숙제를 끝내고 놀이터에 갔다.

⑤ 지난 주말에 할머니 댁에 갔다.

2 그림을 보고 어울리는 낱말에 ◯표 하세요.

생활 계획표를 벽에

(부치다 / 붙이다).

3 밑줄 그은 말을 바르게 고쳐 쓰세요.

바나나와 개나리는 색깔이 <u>**갔다**</u>.

→ (   )

4 다음 그림을 알맞게 표현한 문장에 ◯표 하세요.

(1) 수업을 마치고 집으로 갔다.

(   )

(2) 수업을 마치고 집으로 같다.

(   )

(3) 수업을 맞히고 집으로 갔다.

(   )

(4) 수업을 맞히고 집으로 같다.

(   )

5 빈칸에 '반드시'와 '반듯이' 중 알맞은 말을 써넣어 민서의 말을 완성하세요.

내일은

일찍 일어날 거야.

민서

6 다음 문장의 빈칸에 들어갈 낱말을 알맞게 이으세요.

(1)
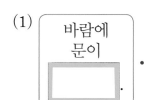
바람에
문이

· 다쳤다

· 닫혔다

(2)
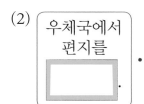
우체국에서
편지를

· 부치다

· 붙이다

8 늘이다 의 뜻으로 알맞은 그림에 ○표 하세요.

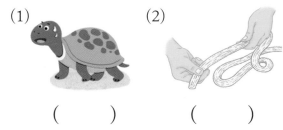

(1)　　　　　(2)

(　　　)　　(　　　)

9 다음 중 알맞게 말한 사람은 누구인지 이름을 쓰세요.

세아: 우리 집 강아지는 달리기가 느려.
민찬: 우리 집 강아지는 훈련을 식히고 있어.

(　　　　　　)

7 다음 그림과 자음자를 보고 빈칸에 알맞게 써넣으세요.

ㅊ ㄷ ↔ ㄷ ㄷ

춥다　┌─┬─┬─┐
　　　└─┴─┴─┘

10 (　　) 안의 낱말 중 알맞은 것에 ○표 하세요.

(1) 지난 주말에 가족과 놀이공원에
(갔다 / 같다).

(2) 줄넘기 연습을 하다가 7시에
(마치다 / 맞히다).

(3) 뜨거운 차를 후후 불어서
(시키다 / 식히다).

3주 특강 보드 게임 퀴즈

📖 문장에 어울리는 낱말에 ◯표 하세요.

친구가 먼저

갔다. / 같다.

엄마께서 심부름을

시키다. / 식히다.

덥다. / 덮다.

여름이라서 날씨가

느리다. / 늘이다.

거북은 토끼보다

바람에 문이

다치다. / 닫히다.

수수께끼의 답을

마치다. / 맞히다.

우체국에서 택배를

부치다. / 붙이다.

1 보기와 같이 빈칸에 들어갈 낱말을 글자판에서 찾아 ◯표 하세요.

보기

다	치	다	♥	늘
★	반	듯	이	이
반	♥	★	♥	다
드	느	리	다	★
시	♥	시	키	다

① 이번 주에는 ◯◯◯ 책을 두 권 읽겠어!

② 엿가락을 길게 ◯◯◯.

식	★	♥	다	치	다
히	★	맞	히	다	♥
다	♥	닫	히	다	♥
♥	시	키	다	★	붙
★	부	치	다	♥	이
마	치	다	♥	★	다

① 놀이터에 가고 싶어서 숙제를 일찍 ◯◯◯.

② 엄마께서 언니에게 심부름을 ◯◯◯.

③ 우체국에 가서 택배를 ◯◯◯.

④ 자전거를 타고 가다가 넘어져서 팔꿈치를 ◯◯◯.

2 보기 와 같이 문장에서 틀리게 쓴 부분을 찾아 바르게 고쳐 쓰세요.

보기

동물원에 같다.

① 문장에서 틀린 낱말을 찾아 쓰세요.

같다

② ①에서 쓴 부분을 바르게 고쳐 쓰세요.

갔다

③ ②에서 쓴 부분에 주의하며 문장을 바르게 쓰세요.

동물원에 갔다.

와, 내가 이겼다!

거북은 늘이다.

① 문장에서 틀린 낱말을 찾아 쓰세요.

② ①에서 쓴 부분을 바르게 고쳐 쓰세요.

③ ②에서 쓴 부분에 주의하며 문장을 바르게 쓰세요.

1 소방차는 알맞은 문장이 쓰인 길로 갈 수 있어요. ❶~❸에 들어갈 화살표를 보기 에서 찾아 그리세요.

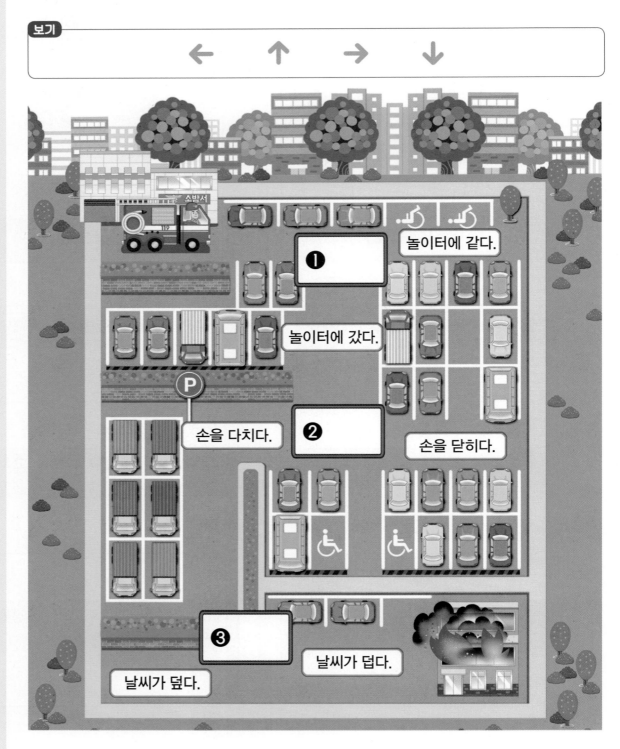

보기

← ↑ → ↓

놀이터에 갈다.
❶
놀이터에 갔다.
손을 다치다.
❷
손을 닫히다.
❸
날씨가 덥다.
날씨가 덮다.

2 <보기>와 같이 어울리는 낱말끼리 선으로 이으세요. 선끼리 겹치지 않도록 주의하세요.

<보기>

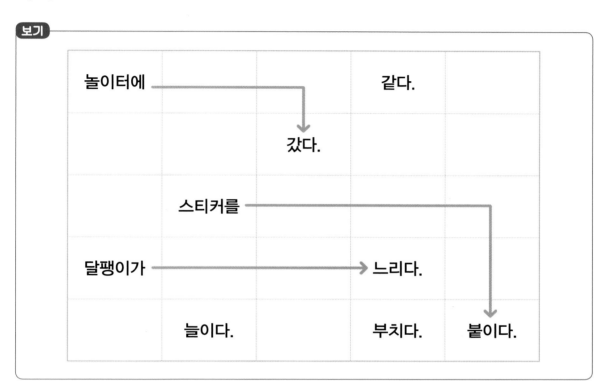

놀이터에			같다.	
		갔다.		
	스티커를			
달팽이가			느리다.	
	늘이다.		부치다.	붙이다.

				다치다.
	다리를		닫히다.	
		덥다.	심부름을	
이불을			식히다.	
		덮다.		시키다.

4주에는 무엇을 공부할까? ①

뜻에 맞게 구별해서 써요

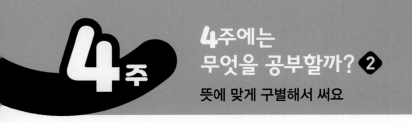

⭐ 얇은 햄버거와 굵은 소시지에 ⭕표 하세요.

◑ 정답과 풀이 13쪽

✪ 선을 따라 그으면서 문장을 완성하고 따라 읽어 보세요.

약속을	서로 생각이	연필을

잃어버리다	잊어버리다	다르다

가르치다/가리키다

맞춤법 익히기

📖 뜻을 익혀요!

공부를 | 가 | 르 | 치 | 다 |.

알거나
익히게 하다.

방향을 | 가 | 리 | 키 | 다 |.

손가락으로
집어서 알려 주다.

'가르치다'를 써야 하는데 '가리키다'를 잘못 쓰는 경우가 있어요.
낱말의 정확한 뜻을 생각하며 알맞게 구별해서 써야 해요.

4
주

◆ 다음 그림과 문장을 보고, 소리 내어 읽은 후 글자를 따라 쓰세요.

이렇게
따라 하세요.

춤을 .

시곗바늘이
12시를 가리키고 있어.

하늘의 달을 .

다르다/틀리다

📖 뜻을 익혀요!

생각이 **다르다**. | 같지 않다.

답이 **틀리다**. | 맞지 않다.

'다르다'를 써야 하는데 '틀리다'를 잘못 쓰는 경우가 있어요.
같지 않을 때 '다르다', 맞지 않을 때 '틀리다'를 써요.

4주

◆ 다음 그림과 문장을 보고, 소리 내어 읽은 후 글자를 따라 쓰세요.

나는 주황색.
나는 노란색.

옷의 색깔이 .

계산이 틀렸어요.
다시 한 번 풀어 볼까요?

2+1=5

수학 계산을 .

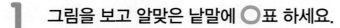
1 그림을 보고 알맞은 낱말에 ◯표 하세요.

❶

요리를 [가리켜 / 가르쳐] 줄게요.

❷

고양이를 [가르치며 / 가리키며] 말했어요.

❸

맛이 [틀려요 / 달라요].

2 밑줄 그은 낱말을 바르게 고쳐 쓰세요.

❶ 오늘은 <u>**틀린**</u> 책을 읽고 싶어요.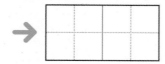

→ ☐☐☐

❷ 이모는 국어를 <u>**가리키는**</u> 선생님이에요.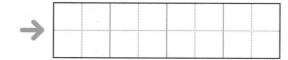

→ ☐☐☐☐☐☐

우주선이 지구로 돌아가야 해요. 알림판에 있는 문장이 알맞으면 ○표 쪽으로, 틀리면 ✕표 쪽으로 가면서 길을 그려 보세요.

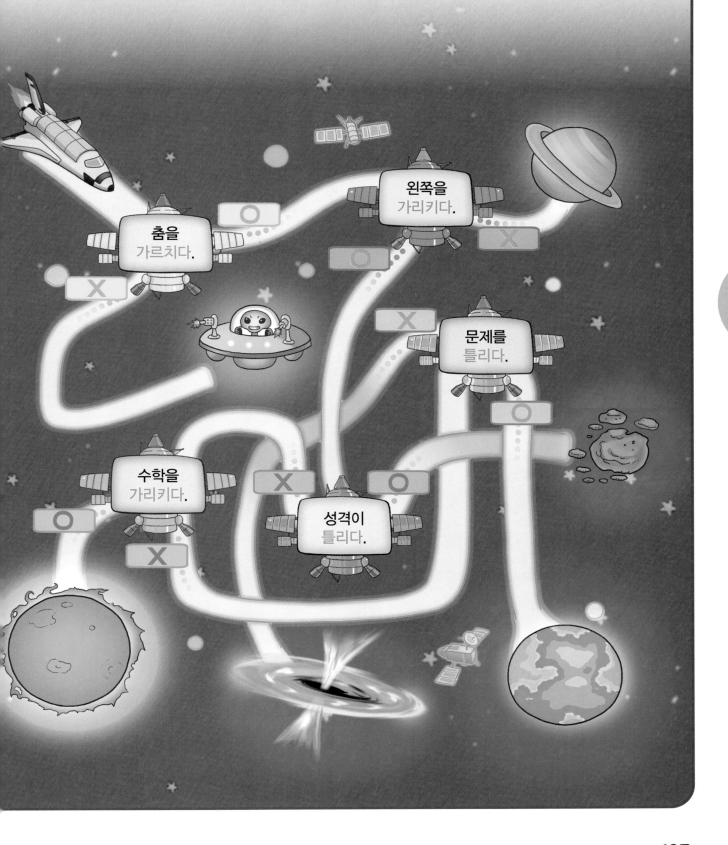

맞춤법 익히기

뜻을 익혀요!

이게 **웬** 떡이야? | 어찌 된.

왜 지 주고 싶어. | 왜 그런지 모르게.

'웬'이 들어가는 문장에 '왠'을 잘못 쓰는 경우가 있어요.
'왠'은 '왠지'로만 쓰이므로 알맞게 구별해서 써야 해요.

◆ 다음 그림과 문장을 보고, 소리 내어 읽은 후 글자를 따라 쓰세요.

웬일이니?

웬일로 일찍 왔니?

왠지 재미있을 것 같아요.

'왠지'는 '왜인지'가 줄어든 말이에요.
뜻을 생각하며 정확하게 써야 해요.

2일 잃어버리다/잊어버리다

📖 뜻을 익혀요!

| 돈을 | 잃 | 어 | 버 | 리 | 다 |. | 가졌던 물건이 없어지다. |

| 약속을 | 잊 | 어 | 버 | 리 | 다 |. | 기억하지 못하다. |

'잃어버리다'와 '잊어버리다'는 글자와 뜻이 비슷해서 헷갈려요.
낱말의 정확한 뜻을 생각하며 알맞게 구별해서 써야 해요.

4주

◆ 다음 그림과 문장을 보고, 소리 내어 읽은 후 글자를 따라 쓰세요.

가방을 찾아 주세요.

가방을 | 잃 | 어 | 버 | 리 | 다 |.

가르쳐 드렸는데……. 또 잊어버렸어.

배운 것을

| 잊 | 어 | 버 | 리 | 다 |.

없어진 것이 물건이면 '잃어버리다'를 쓰고,
생각이나 기억이면 '잊어버리다'를 써요.

1 알맞은 낱말에 ◯표 하세요.

1 오늘은 [웬지 / 왠지] 공부가 재미있어요.

2 종이로 거북 접는 방법을 [잊어버렸어요 / 잃어버렸어요].

2 그림을 보고 알맞은 낱말에 ◯표 하고, 빈칸에 쓰세요.

1
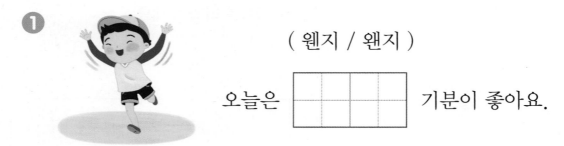

(웬지 / 왠지)

오늘은 ☐☐ 기분이 좋아요.

2
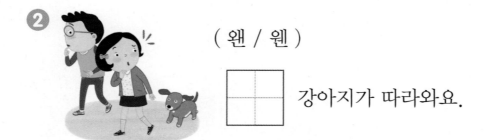

(왠 / 웬)

☐ 강아지가 따라와요.

3
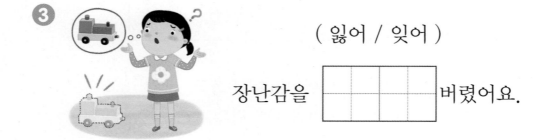

(잃어 / 잊어)

장난감을 ☐☐ 버렸어요.

가족들이 극장에 놀러 왔어요. 빈칸에 알맞은 글자를 보기 에서 찾아 써넣으세요.

보기

웬   왠   잊   잃

영화관 매표소

□□지 저 영화를 보고 싶어요.

저 영화 제목을 □□어버렸어.

앗, 표를 □□어버렸어!

네가 여기 □□일이야?

든지/던지

 맞춤법 익히기

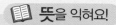 뜻을 익혀요!

사과 든지 배 든지
마음대로 먹어.

어떤 것을
선택할 때

어제는 얼마나 힘들었 던지
바로 잠이 들었어.

지난 일을
나타낼 때

'든지'와 '던지'는 글자가 비슷해서 헷갈려요.
'든지'는 두 개 중에 고를 때, '던지'는 지난 일을 말할 때 써요.

4주

◆ 다음 그림과 문장을 보고, 소리 내어 읽은 후 글자를 따라 쓰세요.

오늘은 이걸
골라야지.

어떤 빵이 든지 골라도 돼.

어찌나 춥 던지 감기에
걸렸어요.

3일 적다/작다

맞춤법 익히기

📖 뜻을 익혀요!

내 밥이 누나 밥보다 **적 다**. 양이 많지 않다.

내 옷이 아빠 옷보다 **작 다**. 크기가 크지 않다.

'적다'와 '작다'를 헷갈리는 경우가 있어요. 양이 보통보다 덜할 땐 '적다', 크기가 보통보다 덜할 때 '작다'를 써요.

4
주

◆ 다음 그림과 문장을 보고, 소리 내어 읽은 후 글자를 따라 쓰세요.

주스 양이 [적 다].

'적다'의 반대말은 '많다'이고,
'작다'의 반대말은 '크다'예요.

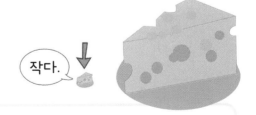
작다.

코끼리보다 개미가 [작 다].

1 그림을 보고 바른 낱말을 보기 에서 찾아 빈칸에 쓰세요.

보기
든지   던지   적다   작다

❶

요정 이야기를 얼마나 재미있게

들었 〔 〕 꿈에 나왔어요.

❷

농구공보다 야구공이 〔 〕.

❸

왼쪽 사과의 양이 오른쪽보다 〔 〕.

2 밑줄 그은 낱말을 바르게 고쳐 쓰세요.

❶ 목이 마르면 물을 마시**던지** 우유를 마시**던지** 하세요.

→ 〔 〕, 〔 〕

❷ 나는 아빠보다 키가 **적다**.

→ 〔 〕

산타가 나타났어요. 낱말을 바르게 쓴 지붕에 ◯표 하세요.

책이 얼마나 재미있**던지**
시간 가는 줄 몰랐어.

노란색이**든지**
빨간색이**든지**
상관없이 고르세요.

아기 손이 내 손보다 **적다.**

연필 개수가 **작다.**

얇다/가늘다

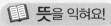 뜻을 익혀요!

공책이 | 얇 | 다 |.

두께가 두껍지 않다.

손목이 | 가 | 늘 | 다 |.

둘레가 짧다.

'얇다'를 써야 하는데 '가늘다'를 잘못 쓰는 경우가 있어요.
뜻을 잘 구별하여 낱말을 알맞게 써야 해요.

4 주

◆ 다음 그림과 문장을 보고, 소리 내어 읽은 후 글자를 따라 쓰세요.

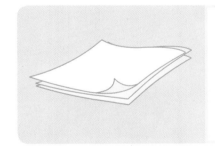

종이가 .

나뭇가지가 .

 주로 책이나 껍질같이 넓은 것의 두께를 나타낼 때에는 '얇다'를,
실이나 다리같이 길고 둥근 것의 둘레를 나타낼 때에는 '가늘다'를 써요.

두껍다/굵다

 뜻을 익혀요!

종이가 | 두 | 껍 | 다 |.　　　두께가 크다.

연필이 | 굵 | 다 |.　　　둘레가 크다.

'두껍다'를 써야 하는데 '굵다'를 잘못 사용하는 경우가 있어요.
두께는 '두껍다', 둘레는 '굵다'를 써요.

4주

◆ 다음 그림과 문장을 보고, 소리 내어 읽은 후 글자를 따라 쓰세요.

　책이 | 두 | 껍 | 다 |.

　짜장면 면이 | 굵 | 다 |.

 '두껍다'의 반대말은 '얇다'이고,
'굵다'의 반대말은 '가늘다'예요.

1 그림을 보고 알맞은 낱말에 ◯표 하세요.

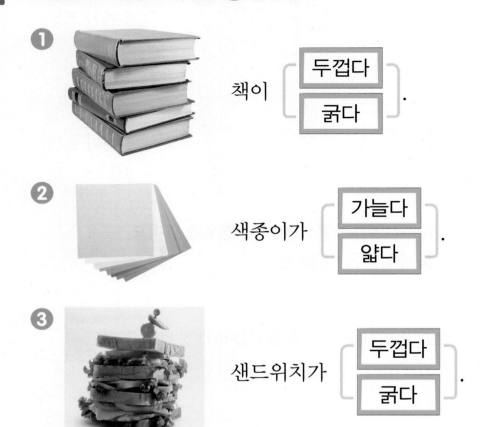

❶ 책이 [두껍다 / 굵다].

❷ 색종이가 [가늘다 / 얇다].

❸ 샌드위치가 [두껍다 / 굵다].

2 그림을 보고 빈칸에 알맞은 낱말을 쓰세요.

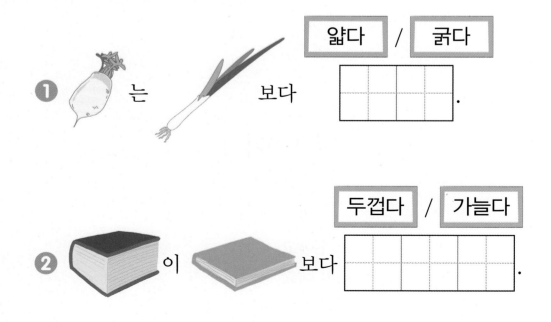

얇다 / 굵다

❶ ⬜는 ⬜보다 [   ].

두껍다 / 가늘다

❷ ⬜이 ⬜보다 [   ].

□에 들어갈 알맞은 낱말을 골라 ◯ 표 하고 쓰세요.

이불이 □□□□.
(얇다 / 가늘다)

공책이 □□□□.
(굵다 / 두껍다)

옷이 □□□□.
(굵다 / 두껍다)

접시가 □□□□.
(가늘다 / 얇다)

4
주

1 그림을 보고 알맞은 낱말에 ◯표 하세요.

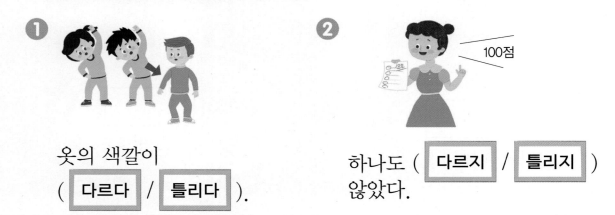

❶ 옷의 색깔이 (다르다 / 틀리다).

❷ 하나도 (다르지 / 틀리지) 않았다.

2 밑줄 그은 낱말을 바르게 쓴 친구를 찾아 이름을 쓰세요.

하늘의 달을 **가리키다**.

진서

저 사과를 **가르치다**.

윤아

'이름 쓰는 곳'

3 다음 글자의 알맞은 받침을 찾아 색칠하세요.

❶ 장난감을 익어버렸어요.

ㅈ　ㅀ

❷ 가르쳐 드렸는데……. 컴퓨터 쓰는 법을 익어버렸어요.

ㅈ　ㅀ

4 밑줄 그은 낱말이 알맞은 것에는 ○표, 틀린 것에는 ✕표 하세요.

❶ 옷이 **굵다**.

(　　　)

❷ 이불이 **가늘다**.

(　　　)

❸ 손가락이 **굵다**.

(　　　)

5 빈칸에 들어갈 알맞은 말을 선으로 이으세요.

❶ 이게 [　　] 일일까? ・

・ 왠

・ 웬

❷ 얼마나 아름답 [　　] ! ・

・ 든지

・ 던지

❸ [　　] 잘될 것 같아. ・

・ 왠지

・ 웬지

❹ 가 [　　] 지 오 [　　] 지 하세요. ・

・ 든

・ 던

6 그림을 보고 알맞은 낱말에 ◯표 하고, 빈칸에 쓰세요.

❶

다녀왔습니다.

왠 / 웬

[ ]일로 일찍 돌아오니?

❷

왠지 / 웬지

[ ] 재미있을 것 같은 책이에요.

❸

잃어 / 잊어

책 챙기는 것을 깜빡 [ ]버렸다.

7 밑줄 그은 낱말을 바르게 고쳐 쓰세요.

❶ 잊어버린 지갑을 찾았어요.

→ [ ]

❷ 선생님께서 노래를 **가리켜** 주셨어요.

→ [ ]

◑ 정답과 풀이 15쪽

◆ **문장을 잘 듣고 받아쓰세요.** (정답 15쪽의 문장을 불러 주시거나 QR을 찍어 들려주세요.)

❶
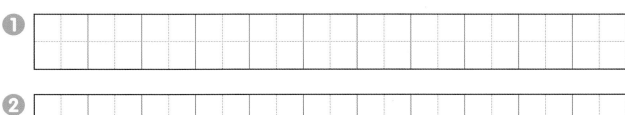

❷

❸
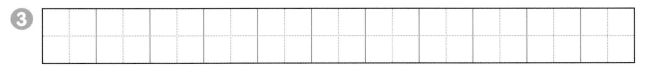

❹

❺

❻
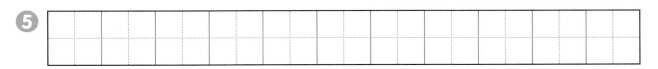

❼

❽
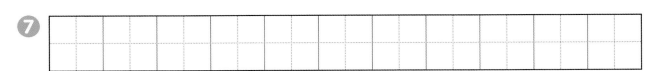

❾
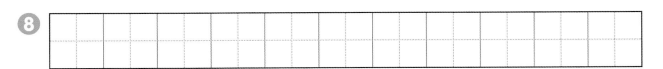

❿

1 다음 중 알맞은 문장을 고르세요.
( )

① 나라마다 말이 틀리다.

② 공부를 가리켜 주었다.

③ 손으로 별을 가르치고 있다.

④ 싫든지 좋든지 약속은 지키자.

⑤ 노느라 숙제하는 것을 깜빡 잃어버렸다.

2 그림에서 나무꾼이 슬퍼하는 이유로 알맞은 것에 ◯표 하세요.

도끼를
| 잃어버려서 |
| 잊어버려서 |

3 알맞은 말을 찾아 선으로 이으세요.

(1) 양이 · · ㉠ 작다.

(2) 크기가 · · ㉡ 적다.

4 밑줄 그은 말이 바르게 쓰인 것에는 ◯표, 아닌 것에는 ✕표 하세요.

(1) 웬지 기분 좋은 일이 생길 것 같아. ( )

(2) 기훈이와 나는 집에 가는 길이 틀리다. ( )

(3) 비가 올 것 같으니 우산 챙기는 것을 잊어버리지 마. ( )

5 낱말을 바르게 사용하여 말한 사람의 이름을 쓰세요.

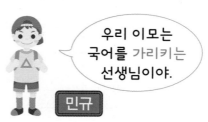
우리 이모는 국어를 가리키는 선생님이야.
민규

네가 왠지 국어 시간에 열심히 하더라.
서윤

( )

6 ( ) 안의 낱말 중 알맞은 것에 ◯표 하세요.

(1) 시곗바늘이 두 시를

(가리키다 / 가르치다).

(2) 놀이터에서 모자를

(잃어버리다 / 잊어버리다).

(3) 새로 산 이불이 (굵다 / 두껍다).

7 다음 뜻에 알맞은 낱말을 보기 에서 골라 쓰세요.

보기

다르다   틀리다

(1) 같지 않다. ( )

(2) 맞지 않다. ( )

8 ▨ 안에 들어갈 말을 선으로 이으세요.

(1) 등산을 다녀왔어. 얼마나 상쾌하 지! · · ① 던

(2) 기차를 타 지, 버스를 타 지 정해야 해. · · ② 든

9 그림을 보고 빈칸에 들어갈 낱말을 보기 에서 골라 쓰세요.

보기

가늘다   굵다

실이 밧줄보다 ( ).

10 그림에서 아이는 무엇을 하고 있나요?

( )

① 사과를 가리키고 있어요.

② 사과를 가르치고 있어요.

창의·융합·코딩 ❶

보드 게임 퀴즈

📖 빈칸에 들어갈 알맞은 낱말에 ◯표 하며 길을 따라가 보세요.

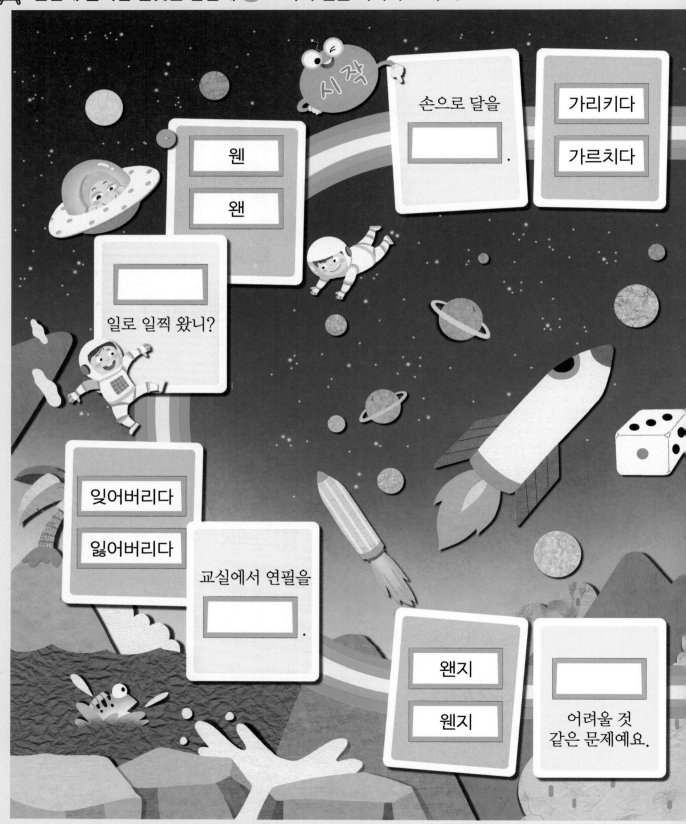

시작

웬

왠

손으로 달을

가리키다

가르치다

일로 일찍 왔니?

잊어버리다

잃어버리다

교실에서 연필을

왠지

웬지

어려울 것 같은 문제예요.

두 옷의 색깔이 [   ].

다르다

틀리다

배운 것을 [   ].

잊어버리다

잃어버리다

문제의 답을 [   ].

틀리다

다르다

가르쳐

가르켜

춤을 [   ] 줄게요.

사고 쑥쑥

1 ⬤⬤ 에 들어갈 말을 글자칸의 글자를 모아 만들어 보세요.

잊	라	오	어	잃

❶ 친구와 한 약속을 까맣게 ⬤⬤ 버렸다.

르	다	리	틀	어

❷ 동생과 나는 좋아하는 음식이 ⬤⬤ 다.

가	늘	꺼	두	다

❸ 라면은 우동보다 면이 ⬤⬤⬤.

르	쳐	리	가	키

❹ 동생에게 한글을 ⬤⬤⬤ 주었다.

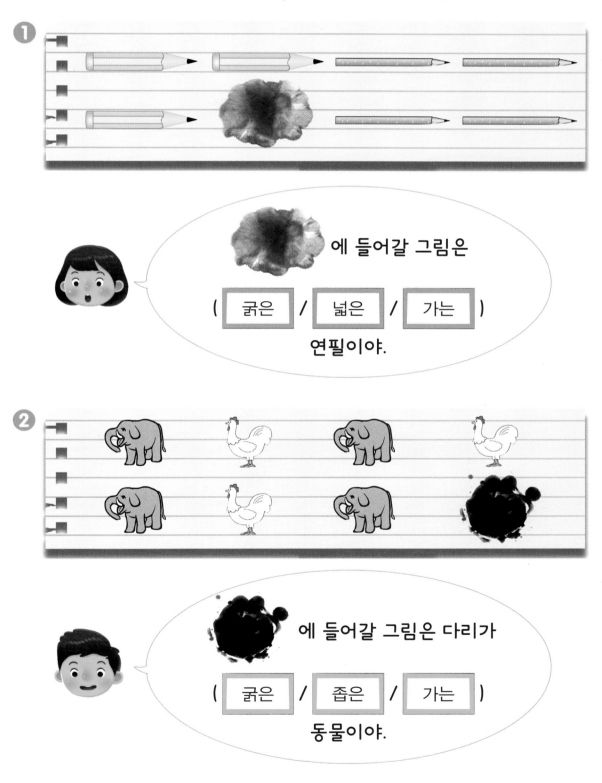

2 잉크가 번진 자리에 들어갈 그림은 무엇인지 알맞은 낱말에 ◯표 하세요.

❶

에 들어갈 그림은

(굵은 / 넓은 / 가는)

연필이야.

❷

에 들어갈 그림은 다리가

(굵은 / 좁은 / 가는)

동물이야.

1 보기 와 같이 다음에서 설명하는 낱말을 골라 쓰세요.

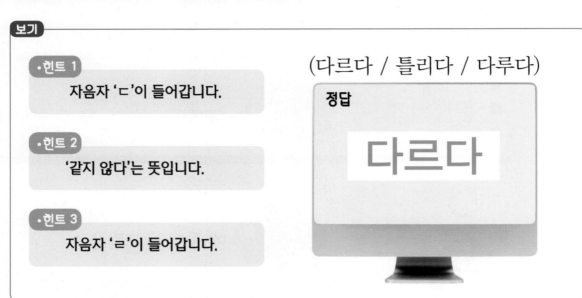

보기

• 힌트 1
자음자 'ㄷ'이 들어갑니다.

• 힌트 2
'같지 않다'는 뜻입니다.

• 힌트 3
자음자 'ㄹ'이 들어갑니다.

(다르다 / 틀리다 / 다루다)

정답

다르다

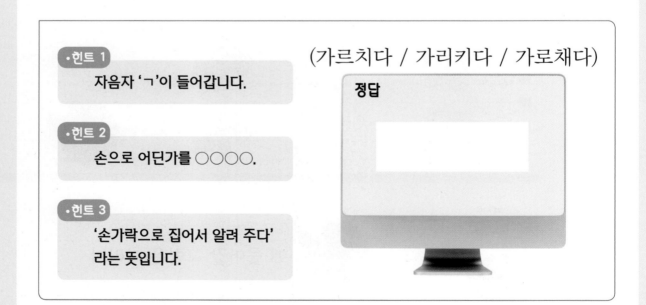

• 힌트 1
자음자 'ㄱ'이 들어갑니다.

• 힌트 2
손으로 어딘가를 ○○○○.

• 힌트 3
'손가락으로 집어서 알려 주다'
라는 뜻입니다.

(가르치다 / 가리키다 / 가로채다)

정답

◑ 정답과 풀이 16쪽

2

다음 화살표 순서대로 자음자와 모음자를 모아 낱말을 완성해서 쓰세요.

① 화살표 순서 → → ↓ ↓ ↓ →

지금 읽고 있는 책이

.

② 화살표 순서 → ↓ ↓ ↓ → → ↑

선생님께서 글자를

기초 학습능력 강화 프로그램

매일매일 쌓이는 국어 기초력

똑똑한 하루

독해&어휘&글쓰기

공부 습관 형성

10분이면 하루치 공부를 마칠 수
있어서 아이들 스스로 쉽게
학습할 수 있도록 구성

국어 기초력 향상

어휘는 물론 독해에서 글쓰기까지
초등 국어 전 영역을 책임지는
완벽한 커리큘럼으로 국어 기초력 향상

재미있는 놀이 학습

꼭 필요한 상식과 함께
창의적 사고력 확장을 돕는
게임 형식의 구성으로 즐겁게 학습

쉽다! 재미있다! 똑똑하다! 똑똑한 하루 시리즈
예비초~6학년 각 A·B (14권)

똑 똑 한

하루
어휘

맞춤법+받아쓰기

정답과 풀이

단계
2
B
1~2학년

천재교육

정답과 해설
포인트 3가지

▶ 부모님을 위한 지도·교수 방법 제시

▶ 혼자서도 이해할 수 있는 친절한 맞춤법 풀이

▶ 배운 어휘는 물론 참고 어휘, 보충 어휘까지 자세한 해설

10쪽

밖	
탔다	ㄲ
닦다	
찼다	ㅆ

11쪽

받침 ㅄ 이 들어간 낱말 (2) 개

받침 ㄶ 이 들어간 낱말 (2) 개

1일 바르게 쓰기　16쪽

1 ❶ 깎다 , 깎 다

❷ 낚시 , 낚 시

❸ 볶다 , 볶 다

2 ❶ 창 밖 을 보니 비가 오고 있어요.

❷ 책상에 물을 쏟아서 걸레로 닦 다 .

이렇게 알려 주세요!

받침 'ㄲ'을 읽을 때에는 [ㄱ]으로 소리 나지만 쓸 때에는 'ㄲ'을 살려서 써야 해요.

재미있게 하기　17쪽

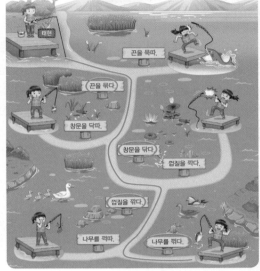

2일 바르게 쓰기　22쪽

1 ❶ 먹었다 , 먹 었 다

❷ 잤다 , 잤 다

❸ 탔다 , 탔 다

2 ❶ 동물원에 가서 코끼리를 보 았 다 .

❷ 무서운 꿈을 꾸고 잠에서 깼 다 .

이렇게 알려 주세요!

지난간 일을 나타내는 낱말을 여러 가지 읽고 써 보면서 받침 'ㅆ'이 붙는 경우와 '았'이 들어가는 경우, '었'이 들어가는 경우를 자연스럽게 알 수 있도록 해 주세요.

재미있게 하기　23쪽

❶ 탔다　❷ 피었다　❸ 샀다　❹ 찼다

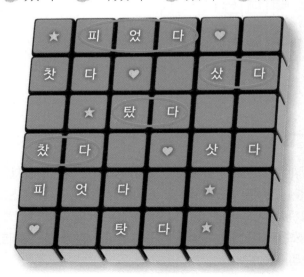

3일 바르게 쓰기   **28쪽**

1 ❶ 값, 값
   ❷ 맛없다, 맛 없 다

2 ❶ 엉엉 울고 있는 동생이 **가 엾 다**.
   ❷ 네가 내 **몫** 까지 먹어.

이렇게 알려 주세요!

받침 'ㄲ'은 [ㄱ]으로 소리 나고, 받침 'ㅄ'은 [ㅂ]으로 소리 나지만 쓸 때는 각각 원래 받침을 살려서 써요. 겹받침에서 실제로 소리 나는 받침이 무엇인지 짚어 주세요. 어려운 낱말이 많으므로 낱말의 뜻을 설명해 주면서 어휘의 폭을 넓힐 수 있도록 해 주세요.

재미있게 하기   **29쪽**

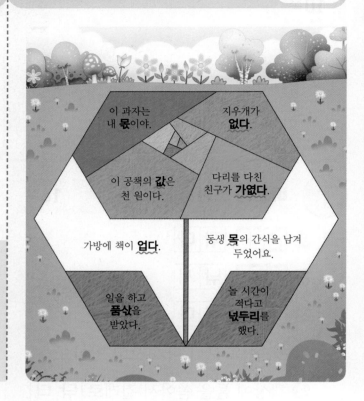

4일 바르게 쓰기   **34쪽**

1 ❶ 끊다, 끊 다
   ❷ 싫다, 싫 다

2 ❶ 끊 다
   ❷ 많 다

이렇게 알려 주세요!

받침 'ㄶ'과 'ㅀ'은 뒤에 오는 글자에 따라 소리가 달라져요. 뒤에 오는 글자가 모음자로 시작하면 각각 [ㄴ], [ㄹ] 소리가 뒤 글자의 첫소리로 나고, 뒤에 오는 글자가 'ㄱ', 'ㄷ', 'ㅈ'으로 시작하면 각각 [ㅋ], [ㅌ], [ㅊ]과 같이 거센소리로 소리 나요.

재미있게 하기   **35쪽**

5일 받아쓰기 36~38쪽

1 밖

2 민재

3

4 ① 실타(✗) ② 끓다(○)

5 ① 탔다 ② 맛없다

6 ① ㅆ ② ㄴㅎ

7

| 잠을 잤다. | 밥을 복따. | 리본을 묶다. | 물이 끌타. | 무릎을 꿇다. | 구슬이 만타. |

8 ① 닭다, 닭 다
  ② 가엾다, 가 엾 다
  ③ 끓다, 끓 다

QR 받아쓰기 39쪽

① 밖 에 는 ∨ 비 가 ∨ 와 요 .
② 책 상 을 ∨ 닦 다 .
③ 엄 마 와 ∨ 시 장 에 ∨ 갔 다 .
④ 공 책 을 ∨ 샀 다 .
⑤ 밥 을 ∨ 먹 었 다 .
⑥ 과 일 ∨ 값 이 ∨ 비 싸 다 .
⑦ 연 필 이 ∨ 없 다 .
⑧ 사 람 이 ∨ 많 다 .
⑨ 청 소 하 기 ∨ 싫 다 .
⑩ 냄 비 에 ∨ 물 이 ∨ 끓 다 .

1주 누구나 100점 TEST 40~41쪽

1 ②   2 ②   3 밖   4 (1) ① (2) ①

5 (3) (✗)   6 넋두리   7 ④

8 없   9 연주   10 (1) ② (2) ①

풀이

3 '겉이 되는 부분'이라는 뜻의 '밖'이 들어가야 해요.

5 (3) '보다'는 '보았다'로 써야 해요.

8 '있다'와 뜻이 반대인 '없다'가 알맞아요.

1주 특강 보드 게임 퀴즈 42~43쪽

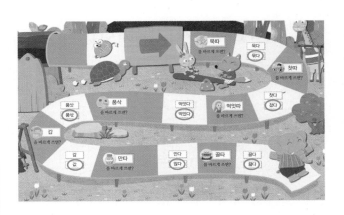

1주 특강 사고 쑥쑥 44쪽

1 책이 만타.

① 문장에서 틀린 낱말을 찾아 쓰세요.

만타

↓

② ①에서 쓴 부분을 바르게 고쳐 쓰세요.

많다

↓

③ ②에서 쓴 부분에 주의하며 문장을 바르게 쓰세요.

책이 많다.

45쪽

2

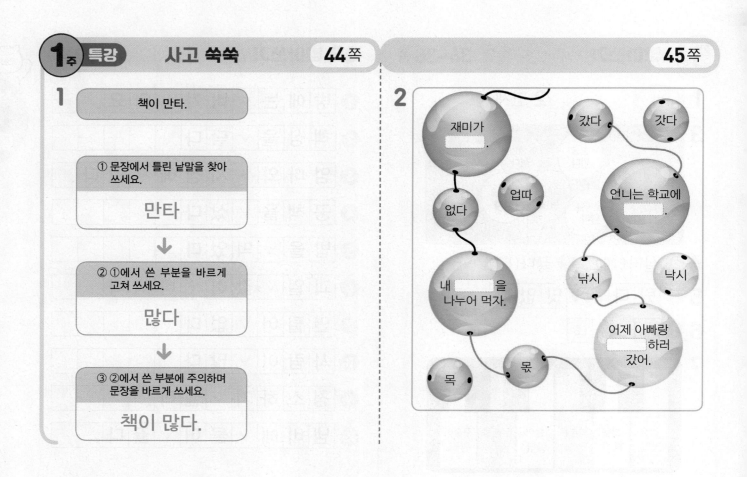

1주 특강 논리 탄탄 46쪽

1 ❶

다친 친구가 가 엾 다.

❷

숙제가 너무 많다고 넋 두 리 를 했어요.

47쪽

2

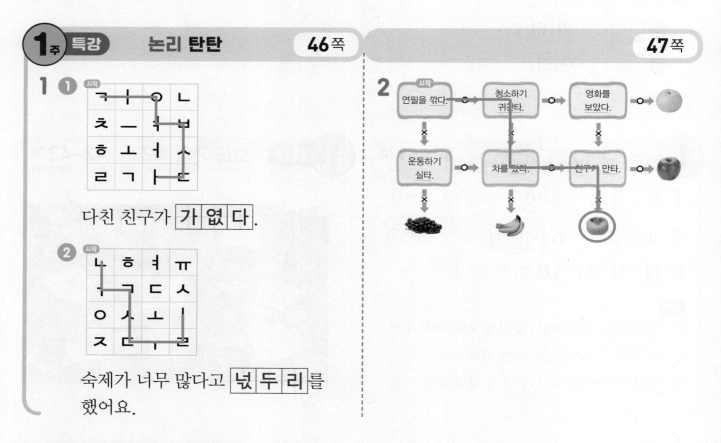

50쪽

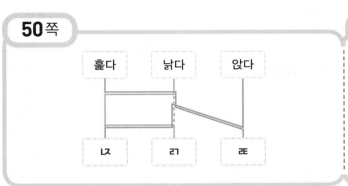

훑다	낡다	앉다
ㄹㅅ	ㄹㄱ	ㄹㅌ

51쪽

굵다   닮다

짧다   밝다   여덟

1일 바르게 쓰기   56쪽

1 ❶ 굶다, 굶 다

❷ 젊다, 젊 다

❸ 곪다, 곪 다

2 ❶ 친구에게 감기가 옮 다.

❷ 동생이 나를 많이 닮 다.

이렇게 알려 주세요!

받침 'ㄼ' 다음에 'ㅇ'으로 시작하는 글자가 있으면 'ㄼ'은 [ㄹ]로 소리 나고 'ㅁ'이 다음 글자로 넘어가서 소리 나요.

재미있게 하기   57쪽

치킨

달은꼴 · 닮은꼴 · 굶다 · 굽다 · 젊은 사람 · 절은 사람

2일 바르게 쓰기   62쪽

1 ❶ 굵다   ❷ 낡다   ❸ 굵다

2 ❶ 아침 해가 밝 다.

❷ 도서관에 가면 읽 을 거 리 가 많아서 좋아요.

이렇게 알려 주세요!

받침 'ㄺ' 다음에 'ㅇ'으로 시작하는 글자가 있으면 'ㄺ'은 [ㄹ]로 소리 나고 'ㄱ'이 다음 글자로 넘어가서 소리 나요.

재미있게 하기   63쪽

숨은그림

굵은 연필   닭 다리   낡은 책   밝은 등

3일 **바르게 쓰기** 68쪽

1 ❶ 펭귄은 다리가 짧다.

❷ 파란색 책이 얇다.

❸ 덜 익은 감을 먹으면 떫다.

2 ❶ 운동장이 넓다.

❷ 8은 '여덟'이라고 써요.

이렇게 알려 주세요!

받침 'ㄼ'은 대부분 [ㄹ]로 소리 나요. 하지만 글씨로 쓸 때에는 'ㄼ'을 그대로 써요. 그리고 받침 'ㄼ' 다음에 'ㅇ'으로 시작하는 글자가 있으면 'ㅂ'이 다음 글자로 넘어가서 소리 나지요.

재미있게 하기 69쪽

4일 **바르게 쓰기** 74쪽

1 ❶ 핥다

❷ 얹다

❸ 훑다

2 ❶ 의자에 바르게 앉다.

❷ 도서관에서 여러 가지 책을 훑어보다.

이렇게 알려 주세요!

받침 'ㄵ'은 [ㄴ]으로만 소리 나는데 쓸 때에는 'ㄵ'을 그대로 써요. 받침 'ㄾ'은 [ㄹ]로 소리 나는데 쓸 때에는 'ㄾ'을 그대로 쓰지요.

재미있게 하기 75쪽

1 ① 핥아　② 훑다

2 윤아

3 ① ㄺ　② ㄼ

4 ① ✕　② ○　③ ○

5 ① 옮았　② 낡았　③ 밟은　④ 엱어

6 ① 굶어 , 굶 어　② 낡은 , 낡 은

7 ・달이 밝 다 .
　・글이 짧 다 .
　・책을 읽 다 .

① 우 리 ∨ 삼 촌 은 ∨ 젊 다 .

② 밥 을 ∨ 굶 지 ∨ 말 자 .

③ 아 침 ∨ 해 가 ∨ 밝 다 .

④ 손 가 락 이 ∨ 굵 다 .

⑤ 운 동 장 이 ∨ 참 ∨ 넓 다 .

⑥ 감 이 ∨ 덜 ∨ 익 어 ∨ 떫 다 .

⑦ 밥 에 ∨ 반 찬 을 ∨ 얹 었 다 .

⑧ 아 이 스 크 림 을 ∨ 핥 다 .

⑨ 젊 은 ∨ 사 람 이 ∨ 있 어 요 .

⑩ 읽 을 거 리 가 ∨ 많 아 요 .

정답
과
풀이

1 ⑤　**2** ②　**3** ⑤　**4** (1) ②　(2) ③

(3) ①　(4) ④　**5** (1) 짧다, 얇다　(2) 밝다,

낡다　**6** (1) 젊다　(2) 늙다　　**7** ④

8 여덟　**9** ⑤　**10** (1) ㄺ　(2) ㄹ　(3) ㄼ

풀이

3 '훑터보다'는 '훑어보다'를 소리 나는 대로 쓴 거
예요.

7 '할따'는 '핥다'로 고쳐 써야 해요.

10 (1)은 여자아이가 의자에 앉아 있으므로 '앉다',
(2)는 여자아이가 책을 보고 있으므로 '읽을거
리', (3)은 두 아이가 비슷하게 생겼으므로 '닮은
꼴'이 알맞아요.

닮다 → 앉다 → 핥다 → 짧다
→ 밝다 → 얇다 → 넓다

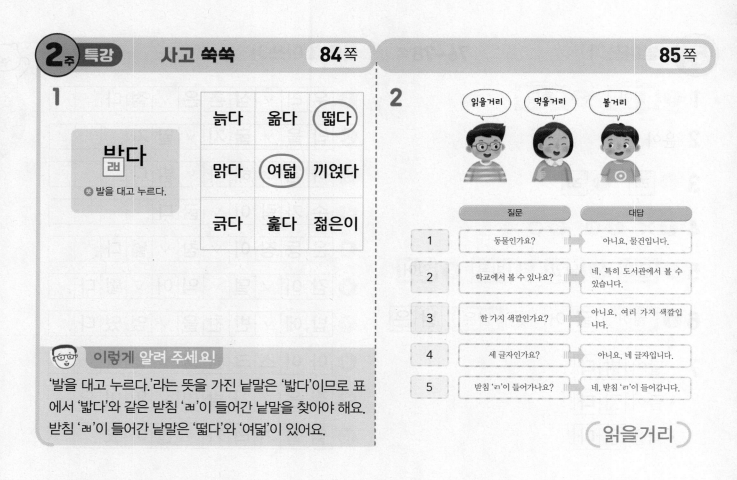

2주 특강 사고 쑥쑥 84쪽

1

박다
ㄾ
😣 발을 대고 누르다.

늙다	옳다	(떫다)
맑다	(여덟)	끼얹다
굵다	훑다	젊은이

👨‍🏫 **이렇게 알려 주세요!**

'발을 대고 누르다.'라는 뜻을 가진 낱말은 '밟다'이므로 표에서 '밟다'와 같은 받침 'ㄼ'이 들어간 낱말을 찾아야 해요. 받침 'ㄼ'이 들어간 낱말은 '떫다'와 '여덟'이 있어요.

85쪽

2

읽을거리 / 먹을거리 / 볼거리

	질문	대답
1	동물인가요?	아니요, 물건입니다.
2	학교에서 볼 수 있나요?	네, 특히 도서관에서 볼 수 있습니다.
3	한 가지 색깔인가요?	아니요, 여러 가지 색깔입니다.
4	세 글자인가요?	아니요, 네 글자입니다.
5	받침 'ㄺ'이 들어가나요?	네, 받침 'ㄺ'이 들어갑니다.

(읽을거리)

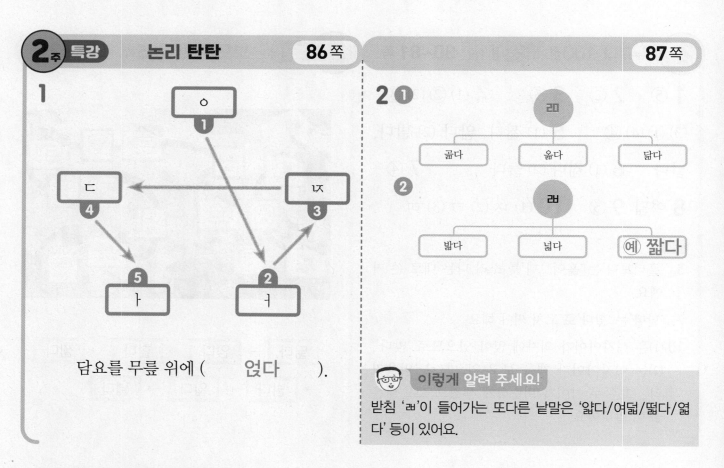

2주 특강 논리 탄탄 86쪽

1

ㅇ
①

ㄷ ← ㄳ
④   ③

ㅏ   ㅓ
⑤   ②

담요를 무릎 위에 (얹다).

87쪽

2 ❶

ㄻ
곪다 / 옮다 / 닮다

❷

ㄼ
밟다 / 넓다 / 예 짧다

👨‍🏫 **이렇게 알려 주세요!**

받침 'ㄼ'이 들어가는 또다른 낱말은 '얇다/여덟/떫다/엷다' 등이 있어요.

90쪽

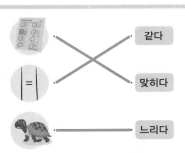

91쪽

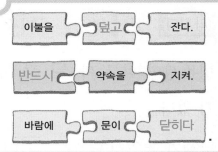

1일 바르게 쓰기   96쪽

1 ❶ 갔다 ❷ 같다 ❸ 붙이고

2 ❶ 친구가 놀이공원에 갔다 왔다고 자랑했어요.

❷ 알림판이 꽉 차서 쪽지를 붙일 데가 없어요.

👦 **이렇게 알려 주세요!**

편지를 보낼 때에는 '부치다', 떨어지지 않게 할 때에는 '붙이다'임을 강조해 주세요.

재미있게 하기   97쪽

2일 바르게 쓰기   102쪽

1 ❶ ⟨반듯이⟩, 반듯어

❷ ⟨반드시⟩, 반드시

❸ ⟨맞히⟩, 맞히

2 ❶ 운동을 마치고 책을 읽었어요.

❷ 자세를 바르게 반듯어 앉아서 공부해요.

👧 **이렇게 알려 주세요!**

'꼭'을 나타낼 때에는 받침 없이 '반드시', 똑바르게 할 때에는 '반듯이'예요. 그리고 답을 맞게 할 때에는 '맞히다'를 써요.

재미있게 하기   103쪽

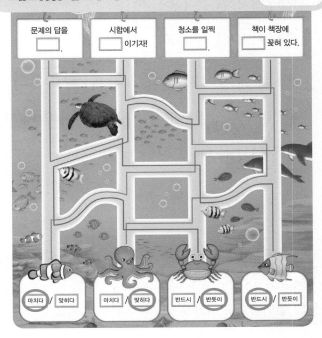

3일 바르게 쓰기 108쪽

1 ① 다치다 ② 덮다 ③ 덥다

2 ① 병뚜껑이 너무 꽉 **닫혀서** 열 수가 없다.

   ② 날씨가 추워서 담요를 **덮다**.

👨 이렇게 알려 주세요!

상처가 생기는 것은 '다치다', 문이나 서랍이 닫아지는 것은 '닫히다'예요. 여름은 '덥고', 이불은 '덮는'다는 것을 알려 주세요.

재미있게 하기 109쪽

4일 바르게 쓰기 114쪽

1 ① 느리다, 느리다

   ② 식혀서, 식혀서

   ③ 시켜서, 시켜서

2 ① 바지 길이가 짧아서 길게 **늘이다**.

   ② 방금 삶은 고구마는 뜨거우니까 **식혀서** 먹어야 한다.

👩 이렇게 알려 주세요!

걸리는 시간이 길다는 뜻의 '느리다'와 길이를 길게 한다는 뜻의 '늘이다'를 구별할 수 있도록 지도해 주세요.

재미있게 하기 115쪽

나무

5일 받아쓰기 116~118쪽

1 붙여요
2 윤아
3 ②
4 ❶ (○) ❷ (○)
5 닫혔어요
6 두(2)

7
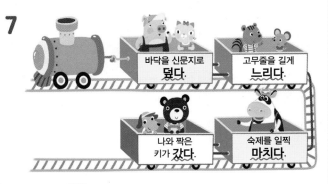
바닥을 신문지로 덮다.
고무줄을 길게 느리다.
나와 짝은 키가 갔다.
숙제를 일찍 마치다.

8 ❶ 반드시, 반드시
  ❷ 식혀서, 식혀서

QR 받아쓰기 119쪽

❶ 엄마와 ∨ 시장에 ∨ 갔다.
❷ 짝과 ∨ 키가 ∨ 같다.
❸ 스티커를 ∨ 붙이다.
❹ 문이 ∨ 세게 ∨ 닫히다.
❺ 머리를 ∨ 다쳤어요.
❻ 얇은 ∨ 이불을 ∨ 덮다.
❼ 화분을 ∨ 흙으로 ∨ 덮다.
❽ 거북은 ∨ 느리다.
❾ 고무줄을 ∨ 늘이다.
❿ 심부름을 ∨ 시켰어요.

3주 누구나 100점 TEST 120~121쪽

1 ②
2 붙이다
3 같다
4 (1) (○)
5 반드시
6 (1) 닫혔다 (2) 부치다
7 덮다
8 (2) (○)
9 세아
10 (1) 갔다 (2) 마치다 (3) 식히다

풀이
1 ②는 '내 짝과 나는 나이가 같다.'로 고쳐 써야 해요.
9 민찬이의 말에서 '식히고'를 '시키고'로 고쳐야 해요.

3주 특강 보드 게임 퀴즈 122~123쪽

3주 특강 — 사고 쑥쑥 — 124쪽

1 ① 마치다 ② 시키다 ③ 부치다
④ 다치다

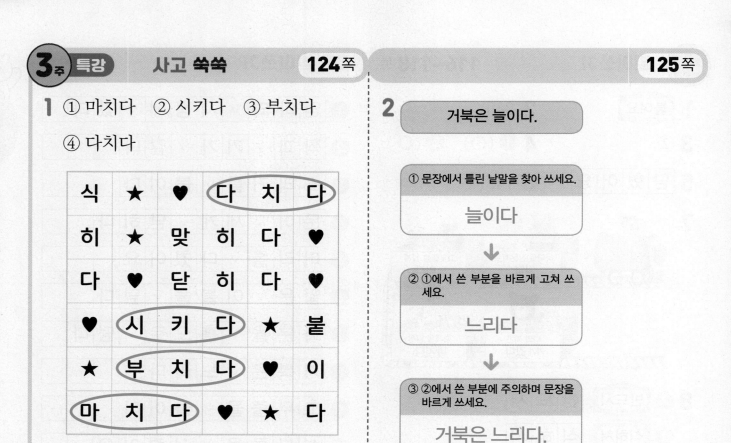

125쪽

2 거북은 늘이다.

① 문장에서 틀린 낱말을 찾아 쓰세요.

늘이다

↓

② ①에서 쓴 부분을 바르게 고쳐 쓰세요.

느리다

↓

③ ②에서 쓴 부분에 주의하며 문장을 바르게 쓰세요.

거북은 느리다.

3주 특강 — 논리 탄탄 — 126쪽

1

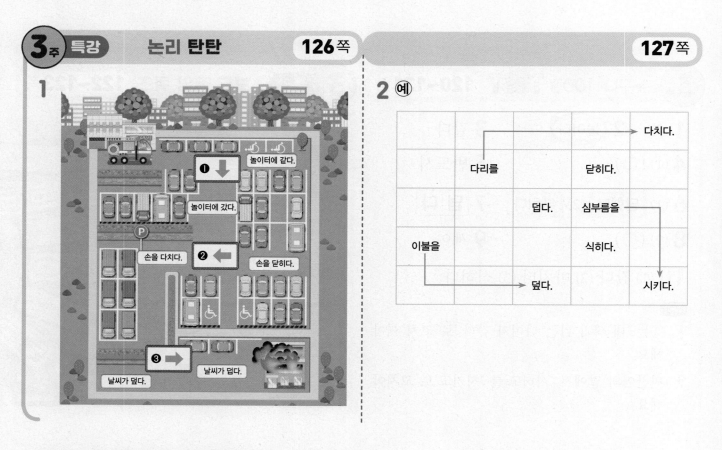

127쪽

2 예

				다치다.
	다리를		닫히다.	
		덥다.	심부름을	
이불을			식히다.	
		덮다.		시키다.

130쪽

131쪽

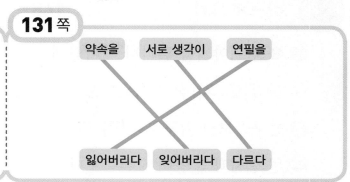

약속을	서로 생각이	연필을

| 잃어버리다 | 잊어버리다 | 다르다 |

1일 바르게 쓰기 　　136쪽

1 ❶ 가르쳐　❷ 가리키며　❸ 달라요

2 ❶ 오늘은 **다른** 책을 읽고 싶어요.

　❷ 이모는 국어를 **가르치는** 선생님이에요.

 이렇게 알려 주세요!

방법이나 지식을 알려 줄 때에는 '가르치다', 방향이나 물건을 짚을 때에는 '가리키다'를 써요. '틀리다'는 맞지 않을 때에 쓰고, 같지 않을 때는 '다르다'를 써요.

재미있게 하기 　　137쪽

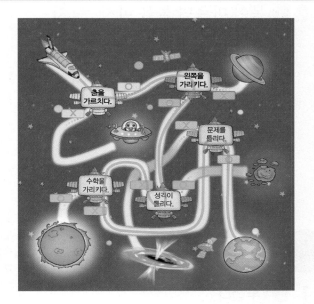

2일 바르게 쓰기 　　142쪽

1 ❶ 왠지　❷ 잊어버렸어요

2 ❶ 왠지, **왠지**　❷ 웬, **웬**

　❸ 잃어, **잃어**

 이렇게 알려 주세요!

'왠'은 '왠지'의 형태로만 쓰이기 때문에 '어찌 된'을 나타낼 때에는 꼭 '웬'이 들어가요. 기억하지 못할 때 '잊어버리다', 물건이 없어졌을 때 '잃어버리다'를 써요.

재미있게 하기 　　143쪽

3일 바르게 쓰기 148쪽

1 ① 요정 이야기를 얼마나 재미있게 들었 [던지] 꿈에 나왔어요.

② 농구공보다 야구공이 [작다].

③ 왼쪽 사과의 양이 오른쪽보다 [적다].

2 ① 목이 마르면 물을 마시[든지], 우유를 마시[든지] 하세요.

② 나는 아빠보다 키가 [작다].

재미있게 하기 149쪽

4일 바르게 쓰기 154쪽

1 ① (두껍다)

② (얇다)

③ (두껍다)

2 ①  는  보다 [굵다].

②  이  보다 [두껍다].

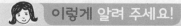

이렇게 알려 주세요!

종이, 공책, 접시와 같이 면이 넓은 물건은 '가늘다, 굵다'가 아닌 '두껍다, 얇다'를 써요.

재미있게 하기 155쪽

5일 받아쓰기 156~158쪽

1 ① (다르다) ② (틀리지) **2** 진서

3 ① ㄹㅎ ② ㅈ **4** ① ✕ ② ✕ ③ ○

5 ① 웬 ② 던지 ③ 왠지 ④ 든

6 ① (웬), 웬 ② (왠지), 왠 지

③ (잊어), 잊 어

7 ① 잃 어 버린 지갑을 찾았어요.

② 선생님께서 노래를 가 르 쳐 주셨
어요.

QR 받아쓰기 159쪽

① | 수 | 학 | 을 | ∨ | 가 | 르 | 쳐 | ∨ | 주 | 다 | . |

② | 밖 | 을 | ∨ | 가 | 리 | 키 | 는 | ∨ | 동 | 생 | . |

③ | 왠 | 지 | ∨ | 배 | 가 | ∨ | 고 | 파 | 요 | . |

④ | 이 | 게 | ∨ | 웬 | ∨ | 떡 | 이 | 야 | . |

⑤ | 나 | 는 | ∨ | 생 | 각 | 이 | ∨ | 달 | 라 | . |

⑥ | 하 | 나 | 도 | ∨ | 안 | ∨ | 틀 | 렸 | 어 | 요 | . |

⑦ | 열 | 쇠 | 를 | ∨ | 잃 | 어 | 버 | 렸 | 어 | 요 | . |

⑧ | 가 | 든 | 지 | ∨ | 오 | 든 | 지 | ∨ | 해 | 라 | . |

⑨ | 두 | 꺼 | 운 | ∨ | 옷 | 을 | ∨ | 입 | 었 | 다 | . |

⑩ | 내 | ∨ | 손 | 가 | 락 | 은 | ∨ | 가 | 늘 | 다 | . |

4주 누구나 100점 TEST 160~161쪽

1 ④ **2** (잃어버려서) **3** (1) ㉡ (2) ㉠

4 (1) ✕ (2) ✕ (3) ○ **5** 서윤

6 (1) 가리키다 (2) 잃어버리다 (3) 두껍다

7 (1) 다르다 (2) 틀리다 **8** (1) ① (2) ②

9 가늘다 **10** ①

풀이

1 ①은 '나라마다 말이 다르다.' ②는 '공부를 가르
쳐 주었다.' ③은 '손으로 별을 가리키고 있다.'
⑤는 '노느라 숙제하는 것을 깜빡 잊어버렸다.'
가 맞아요.

4주 특강 보드 게임 퀴즈 162~163쪽

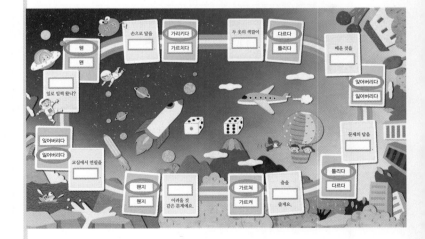

가리키다 → 다르다 → 잃어버리다

→ 틀리다 → 가르쳐 → 왠지

→ 잃어버리다 → 웬

4주 특강 **사고 쑥쑥** **164**쪽

1

| 잊 | 라 | 오 | 어 | 잃 |

❶ 친구와 한 약속을 까맣게 **잊 어** 버렸다.

| 르 | 다 | 리 | 틀 | 어 |

❷ 동생과 나는 좋아하는 음식이 **다 르** 다.

| 가 | 늘 | 꺼 | 두 | 다 |

❸ 라면은 우동보다 면이 **가 늘 다** .

| 르 | 쳐 | 리 | 가 | 키 |

❹ 동생에게 한글을 **가 르 쳐** 주었다.

165쪽

2

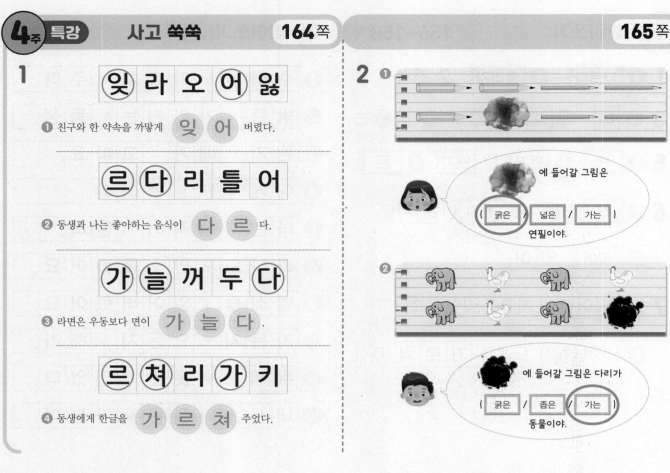

❶
에 들어갈 그림은
((굵은) / 넓은 / 가는)
연필이야.

❷
에 들어갈 그림은 다리가
(굵은 / 좁은 / (가는))
동물이야.

4주 특강 **논리 탄탄** **166**쪽

1

(가르치다 / 가리키다 / 가로채다)

• 힌트 1
자음자 'ㄱ'이 들어갑니다.

• 힌트 2
손으로 어딘가를 ○○○○.

• 힌트 3
'손가락으로 집어서 알려 주다'
라는 뜻입니다.

정답
가리키다

이렇게 알려 주세요!

'가르치다'는 알거나 익히게 하다, '가로채다'는 옆에서 갑자기 쳐서 빼앗는다라는 뜻이에요. '가리키다'는 '손가락으로 집어서 알려 주다.'라는 뜻을 가지고 있어요.

167쪽

2

❶ 화살표 순서 → → ↓ ↓ ↓ →

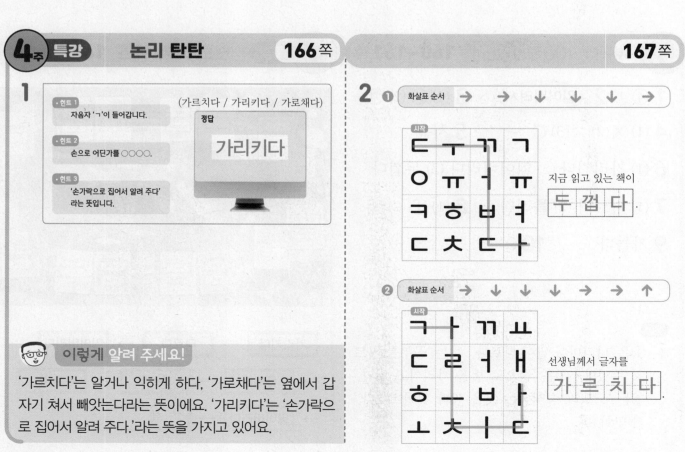

지금 읽고 있는 책이
두 껍 다 .

❷ 화살표 순서 → ↓ ↓ ↓ → → ↑

선생님께서 글자를
가 르 치 다